Bernadette Chovelon, Ma

Expression et style

Français de perfectionnement

Presses universitaires de Grenoble

CATALOGAGE ELECTRE-BIBLIOGRAPHIE

Chovelon, Bernadette*Barthe, Marie

Expression et style : français de perfectionnement. – Saint-Martin-d'Hères (Isère) : PUG, 2002. – (Français langue étrangère)

ISBN 978-2-7061-1510-3

RAMEAU : français (langue) : grammaire : manuels pour allophones
français (langue) : grammaire : exercices

DEWEY : 374.5 : Formation des adultes. Méthodes d'expression écrite et orale

Public concerné : Perfectionnement

Couverture : Studio Bizart – bizart.design@wanadoo.fr

Achevé d'imprimer en janvier 2012 par la SEPEC
01960 Peronnas
No. d'imprimeur : 05605120120, dépôt légal : Février 2012
Imprimé en France

5, place Robert-Schuman
BP 1549 – 38025 Grenoble cedex 1
Tél. +33 (0)4 76 29 43 09 – Fax +33 (0)4 76 44 64 31
pug@pug.fr / www.pug.fr

ISBN 978-2-7061-1510-3

Avant-propos

I. La lignée

L'ouvrage que nous présentons aujourd'hui s'inscrit dans la collection Grammaire et style du département Français langue étrangère des Presses universitaires de Grenoble. Conçu dans le même esprit que *L'Exercisier* et *L'Expression Française écrite et orale,* ce livre de perfectionnement en est la suite logique, réalisant ainsi, avec son supplément sur les synthèses de textes, le cursus complet d'une étude de la langue française.

II. Les auteurs

Bernadette Chovelon fait partie de la génération d'enseignants qui a eu la chance d'assister à la naissance, aux premiers balbutiements, puis aux recherches, aux découvertes, et enfin au développement de la DGLE (Didactique générale des langues étrangères) dont le FLE (Français langue étrangère) est une branche privilégiée, particulièrement riche et bouillonnante d'idées, de recherches et de techniques spécifiques répondant à des objectifs soigneusement ciblés.

Marie Barthe, par ses travaux récents et ses recherches linguistiques apporte une vision tout à fait actuelle des travaux en cours.

L'une et l'autre enseignent le FLE. Connaissant particulièrement les difficultés auxquelles se heurtent les enseignants et les apprenants, elles ont essayé dans cet ouvrage de fournir un matériel pédagogique efficace. La simplicité des présentations a été leur objectif premier.

III. Le public

Cet ouvrage s'adresse à tous ceux qui veulent perfectionner et approfondir leurs connaissances linguistiques en français, et surtout à ceux qui ont besoin d'étudier le *fonctionnement* de la langue dans des structures précises.
S'il est particulièrement destiné à des étrangers apprenant de la langue française, ce manuel pourra être utilisé également dans des cours destinés à des Français désireux d'améliorer leur expression écrite et orale.

IV. Les objectifs de l'ouvrage

L'objectif essentiel est de faciliter et d'enrichir l'expression orale et l'expression écrite. Nous avons dissocié volontairement à certains moments le fonctionnement de la langue orale et celui de la langue écrite. Compte tenu des différents moments de la classe de langue et des ciblages différents de l'oral et de l'écrit, nous avons prévu des étapes indépendantes de travail à l'intérieur de chaque dossier.

V. La construction de l'ouvrage

Quinze dossiers modulables correspondent à un semestre de cours. Les huit parties de chaque dossier peuvent ainsi être adaptées à chaque cas selon le nombre d'heures dont dispose l'enseignant.

L'ouvrage se divise en quatre parties :

1. Les articulations logiques de la langue française avec les sept divisions classiques : cause, conséquence, but, volonté, condition, comparaison, concession.

2. L'expression de la pensée avec deux grandes divisions : la certitude et le doute.

3. L'expression des sentiments. Devant l'immensité et la complexité des sentiments humains il fallait faire un choix. Nous avons opté pour deux grandes catégories : la joie et la souffrance avec ce que cela entraîne dans les deux cas. Nous n'avons pas eu la prétention d'analyser d'une manière exhaustive l'éventail des sentiments humains ! Nous nous contentons de donner aux apprenants les moyens de les exprimer.

4. L'expression du temps avec les quatre grandes notions d'antériorité, de simultanéité, de postériorité et de durée.

VI. La méthodologie

Cet ouvrage s'inscrit dans un parcours méthodologique reposant sur des démarches pédagogiques identiques à l'intérieur de chacun des quinze dossiers. Chaque dossier comprend :

1. Texte de sensibilisation

Ce texte fait toujours partie intégrante d'une situation communicative authentique correspondant à une catégorie de langue de la vie quotidienne. Il s'agit d'un texte sans difficultés lexicales, destiné à mettre en évidence dans le fonctionnement des phrases les structures étudiées. Le repérage de ces structures et leur fonctionnement à l'intérieur du texte sont la visée essentielle de cette première étape.

2. Les outils grammaticaux

Le but de cette partie est de rassembler le plus simplement, mais aussi le plus rigoureusement possible, un certain nombre d'outils grammaticaux indispensables pour l'expression écrite et orale.

Il est illusoire d'imaginer qu'on peut apprendre une langue telle que la langue française sans connaître profondément la grammaire et le fonctionnement des structures grammaticales. Cela est certes possible tant qu'il s'agit d'élaborer des situations de communication élémentaires. Mais dès que l'apprenant vise une maîtrise plus approfondie de la langue, la mémorisation de la grammaire est indispensable. Elle est passionnante aussi.

Pour cela il fallait trouver des méthodes d'acquisition simples et facilement accessibles. Nous avons donc choisi de présenter d'emblée la structure grammaticale dans son ensemble.

Chaque structure grammaticale donnée est toujours accompagnée d'un exemple en italiques pour indiquer clairement et concrètement le fonctionnement de la structure à l'intérieur d'une phrase banale correspondant à une situation ordinaire de la vie quotidienne. Les exemples favorisent la mémorisation indispensable de ces structures.

3. Les outils lexicaux

Les listes ne sont pas forcément exhaustives, mais elles fournissent une gamme de vocabulaire approprié à une situation donnée. Si les mots présentent la moindre difficulté, ils sont accompagnés d'une définition précise ou d'un exemple. Nous avons choisi la présentation alphabétique, comme dans un dictionnaire, pour faciliter la recherche.

4. Pour communiquer

Cette partie vise essentiellement la communication orale, l'échange, pendant la classe. Les sujets proposés entraînent obligatoirement l'utilisation des outils grammaticaux et lexicaux, facilitant ainsi la première étape de leur mémorisation. Plusieurs propositions de communication permettront à l'enseignant d'en choisir une ou plusieurs selon les besoins des apprenants.

5. Exercices écrits

Chaque dossier comprend une batterie d'exercices écrits en application de la leçon étudiée. La plupart du temps ces exercices ont pour but d'amener l'apprenant à construire une phrase entière structurée avec les matériaux proposés. L'écriture de la phrase entière est indispensable pour mémoriser les nouvelles structures et s'exprimer dans une langue plus élaborée. Le but visé est de savoir construire une phrase avec les nouvelles structures récemment acquises.

6. Pour aller plus loin

Cette sixième partie s'adresse particulièrement à ceux qui désirent élargir encore leurs connaissances. Son projet pédagogique est de proposer des sujets plus difficiles ou plus complexes tant du point de vue linguistique que sémantique. Elle comporte la possibilité de nouvelles acquisitions et des exercices immédiats d'application grammaticale ou lexicale.

7. Travaux pratiques

Chaque dossier comporte des propositions de travaux pratiques pour l'oral et pour l'écrit, destinés à fournir un objectif vivant à la classe de langue ; ils ont pour but de favoriser la mémorisation, puis la spontanéité des acquisitions nouvelles.

8. Texte

Certains dossiers n'en comportent pas car ils sont déjà très complets et nous avons souhaité ne pas alourdir l'ouvrage ; cependant certains textes sont fournis à la fin de quelques dossiers pour montrer la vision des structures étudiées dans un cadre différent.

VII. Pour finir

Pour terminer, nous voulons exprimer notre joie d'enseignants qui partagent chaque année avec des étudiants étrangers venant de milieux multinationaux et multiculturels, notre amour et notre connaissance de la langue française. Nous mesurons notre chance de pouvoir réaliser dans les groupes les plus divers des échanges suffisamment profonds et enrichissants pour qu'ils affinent dans l'esprit de nos apprenants leur connaissance de notre sensibilité et de notre culture.
C'est notre expérience que nous livrons aujourd'hui en souhaitant apporter une pierre de plus à l'enseignement du FLE dont les travaux et les recherches ne cessent de nous passionner.

Les auteurs

Le *Corrigés des exercices* est également disponible.

Les articulations logiques de la langue française

Partie 1

Dossier 1

L'Expression de la cause

Texte de sensibilisation

Le calvaire d'un fumeur

Il voulut s'arrêter de fumer, non qu'il en sentît précisément le besoin, mais tout simplement parce que sa femme ne supportait plus l'odeur de la fumée et le menaçait de mille maux, entre autres de le quitter.

Depuis longtemps il se préparait à cette bataille car il savait que tôt ou tard il ne pourrait s'y soustraire ; mais il ne savait pas s'il pourrait en sortir vainqueur en dépit des exhortations de plusieurs de ses amis.

Il s'était donné des délais : « étant donné que les semaines commencent un lundi, pensait-il, il est logique que je commence un lundi car il est apparemment plus facile d'entreprendre des efforts au début de la semaine qu'à la fin ».

Le lundi suivant, il partit au bureau sous l'emprise de ses nouvelles résolutions. Comme tous les matins depuis dix ans, sa secrétaire lui apporta le courrier ; étant donné sa réputation de fumeur invétéré, elle l'accompagna comme à l'ordinaire d'un paquet de cigarettes neuf et d'un cendrier, car elle déplorait chez lui la fâcheuse habitude de jeter ses mégots par terre.

– « Ah non, Virginie, pas aujourd'hui. J'ai pris la résolution de ne plus fumer, étant donné que ma femme ne peut plus supporter mon odeur de tabac froid et me repousse chaque fois qu'elle voit mes doigts jaunis de nicotine. Cette fois-ci je m'y tiendrai. »

Comme la secrétaire le connaissait bien et qu'elle savait que la même scène se reproduisait régulièrement, elle se retira en silence en dissimulant un léger sourire : elle enferma soigneusement dans son tiroir le paquet de cigarettes.

Dans le milieu de la matinée, le besoin de fumer se fit sentir. Sa tête était plus lourde et il grignotait tristement le bout de son stylo ayant ainsi l'illusion d'avoir une cigarette entre les lèvres… Comme il était prévoyant, il avait acheté des bonbons à la menthe avant d'aller au travail. Il commença à en sucer un, puis un autre, parce que, lui avait dit un collègue, cela devait lui permettre de mieux supporter le « jeûne ».

– « Comment suis-je devenu un tel fumeur, se disait-il silencieusement ? Il y a dix ans, je ne connaissais pas le plaisir de la cigarette et maintenant je suis totalement sous l'influence du tabac. » Il cherchait des explications ou plutôt des excuses : pourquoi donc était-il ainsi si dépendant ?

– Tout simplement parce que ses collègues fumaient sans cesse et lui en avaient donné le goût.

– Parce que l'euphorie qu'il ressentait sous l'emprise du tabac était agréable.

– Parce que les mauvaises habitudes se prennent insensiblement.

– Parce que chaque fois qu'il avait essayé de s'arrêter il avait rencontré quelqu'un qui lui avait proposé une cigarette apparemment anodine.

Toute la journée il suça tristement ses bonbons à la menthe. Il était au supplice car le goût du tabac n'est comparable en rien à celui de la menthe.

À six heures, au moment où il s'apprêtait à partir après avoir minutieusement rangé ses affaires en mâchonnant le chewing-gum de la dernière chance, son patron entra brusquement dans son bureau : « Je suis content que vous soyez encore là car justement j'avais une question urgente à vous soumettre. Je voulais vous parler de l'affaire Deschamps puisque vous en êtes l'initiateur et le responsable. Je n'ai pas encore eu le temps d'en discuter avec vous car j'étais en voyage. Pour commencer, vous prendrez bien un petit cigare comme d'habitude ? Ceux-ci sont extraordinaires ; je les ai rapportés de La Havane. Ici on ne les connaît pas. Vous m'en direz des nouvelles. »

Et il n'eut pas le courage de refuser sous prétexte que l'offre venait de son patron.

Repérage

1. De qui s'agit-il ?
2. Quelle est sa préoccupation principale ?
3. Quelles sont les causes de son irrésistible envie de fumer ?
4. Quelles sont les causes de son désir de s'arrêter de fumer ?
5. Pourquoi se remet-il à fumer ?

2 Les outils grammaticaux

1. Règle générale

Toutes les locutions qui expriment une cause sont suivies de l'indicatif.

Ex. : Je n'ai pas pu venir hier soir car j'avais trop de travail.
Comme j'avais trop de travail, je n'ai pas pu venir hier soir.

N.B. : il y a deux exceptions à cette règle : les expressions *non que* et *ce n'est pas que* qui expriment l'une et l'autre que l'on écarte une cause considérée comme fausse pour en évoquer une autre qui est la véritable, sont suivies du subjonctif.

Ex. : Je n'ai pas pu venir hier soir, **non que** je n'en **aie** pas eu envie, mais j'avais un rendez-vous chez le médecin.
Je n'ai pas pu venir hier soir ; **ce n'est pas que je n'en aie pas eu** envie, mais j'avais un rendez-vous chez le médecin.

2. Autres procédés

a) Une préposition ou une locution prépositive + un nom (voir les prépositions dans les outils lexicaux ci-dessous) :
Ex. : À force de travail il a réussi à faire sa médecine.

b) Une préposition + un infinitif (lorsque le sujet des deux verbes est le même) :
Ex. : Elle est allée le voir sous prétexte de prendre de ses nouvelles.

c) Un participe présent ou passé ou un gérondif
Ex. : Voulant absolument trouver du travail, elle a répondu à toutes les petites annonces.
Élevé par des parents pauvres qui n'avaient pas le temps de s'occuper de lui, il avait été trop livré à lui-même.
En manquant une marche d'escalier, elle s'est cassé la jambe.

3 Les outils lexicaux

1. Voici par ordre alphabétique les locutions les plus courantes que vous connaissez déjà :
car ; ce n'est pas parce que ; ce n'est pas que ; comme (en tête de phrase) ; du fait de ; en effet ; étant donné ; non que... mais... ; parce que ; puisque ; (lorsque la cause est connue par les deux interlocuteurs) ; soit parce que... soit que... ; soit que... soit que... ; sous prétexte que ; vu que...

2. Voici d'autres locutions dont le maniement est plus délicat. Étudiez attentivement les exemples donnés.
À cause de : Il a été perturbé dans sa scolarité à cause du divorce de ses parents.
À force de (idée d'effort persévérant) : À force de faire répéter à l'enfant sa table de multiplication tous les soirs, il a fini par la savoir par cœur.
À la lumière de (idée de découverte) : À la lumière de ce que m'a dit le psychologue, je comprends mieux maintenant certains comportements de mon enfant.
À l'initiative de : Une action humanitaire a été mise en place à l'initiative de la Croix-Rouge.
À présent que (une cause + une idée de temps qui lui est liée) : À présent que j'ai un peu plus de temps, je vais voir toutes les expositions.

D'autant mieux que: Je vous comprends d'autant mieux que j'ai connu les mêmes difficultés que les vôtres il y a quelques années.

D'autant moins que (une cause négative + une autre cause négative): J'ai d'autant moins de chance de partir dans cet avion que je suis le huitième sur la liste d'attente.

D'autant plus que (une cause + une autre cause): Il a été d'autant plus déçu de rater son examen qu'il était persuadé d'avoir bien réussi toutes ses épreuves.

Dès lors: Dès lors que je n'avais plus mes clés, je ne pouvais plus entrer dans mon appartement.

Du fait de: Du fait de sa maladie, il a dû supprimer beaucoup de choses dans sa vie.

Du moment que: Du moment que tu as fait tes réservations en temps voulu tu es certain de pouvoir partir la veille de Noël.

En raison de (+ un nom): En raison de son accident, il ne peut faire de vélo en ce moment.

Grâce à (cause reconnue comme bienfaisante): Grâce à l'aide que vous m'avez apportée, j'ai pu trouver un appartement.

Maintenant que (une cause + une idée de temps): Maintenant que tu as réussi ton permis de conduire nous irons nous promener tous les deux dans ta voiture.

Par + un nom: Par son indifférence, il a déçu tous ses amis.

Pour + infinitif passé: Pour avoir voulu faire le tour du monde en navigateur solitaire, il a enduré des épreuves physiques et morales inimaginables.

Pour + nom: Il a été félicité pour son courage.

Sous couleur de (couleur ici = prétexte): Sous couleur d'aider la vieille dame à faire ses chèques, il l'a bien volée.

Sous le choc de (+ nom): Sous le choc de la mort de sa mère, elle a fait une dépression nerveuse.

Sous le coup de (+ nom): Sous le coup de la colère, il a jeté une assiette par terre.

Sous prétexte de (+ infinitif): Sous prétexte d'aider l'aveugle à lire son courrier, elle se renseignait sur tous les secrets de sa famille.

Sous prétexte de (+ verbe): Sous prétexte qu'elle voulait aider l'aveugle à lire son courrier…

Sous prétexte = un nom: Sous prétexte d'une maladie imaginaire, il en profitait toujours pour ne rien faire.

3. Les questions qui amènent une réponse exprimant une cause

À cause de qui?: À cause de qui est-il parti?

À cause de quoi?: À cause de quoi est-elle tombée?

À quel titre?: À quel titre veut-il toucher une pension?

À quoi bon (+ verbe à l'infinitif) (cause incompréhensible): À quoi bon refaire ce travail?

À quoi ça sert? (familier): A quoi ça sert de se plaindre?

Au nom de quoi?: Au nom de quoi milite-t-il dans ce parti politique?

Comment se fait-il ? : Comment se fait-il qu'ils soient arrivés si tôt ?

De quel droit ? : De quel droit venez-vous me déranger à mon domicile ?

D'où vient que ? : D'où vient que vous soyez au courant de cette information qui devait rester secrète ?

En quel honneur ? : En quel honneur êtes-vous là ?

Pourquoi ?

Pour quelle raison ? : Pour quelle raison n'est-il pas venu à l'école ce matin ?

Qu'est-ce que cela signifie ? Que signifie ? : Que signifie ce désordre ? Ce désordre, qu'est-ce que cela signifie ?

4. Les substantifs

a) Les causes diverses

La cause : La cause de son échec n'est pas autre chose que sa paresse.

La cause apparente : La cause apparente de son départ a été la recherche d'une situation plus lucrative.

La cause profonde : La cause profonde de son départ aux États-Unis était un immense besoin de couper avec ses attaches familiales.

Le facteur : Un facteur important de risques d'accidents est la mauvaise visibilité due au brouillard en hiver.

Le ferment : Le ferment de discorde essentiel dans leur couple a été les divergences de points de vue sur l'éducation des enfants.

Le mobile : Le mobile de ce crime a été la jalousie de l'amant repoussé.

Le motif : Quel est le motif de ta démarche ?

La motivation : Il travaille depuis des années dans une association d'aide humanitaire. Sa motivation est la lutte contre la précarité.

L'occasion : On m'a donné la parole. J'ai profité de l'occasion pour présenter ma requête.

L'origine : L'origine de leur mésentente a été la présence quasi permanente de leur belle-mère dans leur couple.

Le pourquoi : Le pourquoi de nos disputes, je ne l'ignore pas, hélas !

Le prétexte : Le prétexte de son absence a été la mort de sa grand-mère.

La raison : Les injures qu'il m'a adressées ont été les raisons de ma colère.

La source : La source de tous mes ennuis est le mauvais état de mon logement.

Le sujet : Le sujet essentiel de mes préoccupations en ce moment est la santé de mon mari.

b) Les agents de la cause

L'animateur : Il a été pendant longtemps l'animateur de l'évolution de la marche économique gouvernementale.

L'artisan : Il a été l'artisan de son malheur.

L'auteur : La Fontaine est l'auteur de fables bien connues.

Le créateur : Maurice Béjart a été le créateur d'une nouvelle forme de chorégraphie.
Le fondateur : Vincent de Paul a été le fondateur d'un ordre religieux qui porte son nom.
L'inspirateur : Il a été l'inspirateur des poèmes de la jeune femme.
L'instigateur : Les principaux instigateurs du complot ont dû se réfugier à l'étranger.
L'inventeur : Pasteur a été l'inventeur du vaccin contre la rage.
Le père (sens figuré) : Eschyle est considéré comme le père de la tragédie de tous les temps.
Le promoteur : Jean-Jacques Rousseau est généralement considéré comme le promoteur des idées qui ont déclenché la Révolution de 1789.

5. Les verbes

Dériver de : C'est un mot qui dérive du latin.
Émaner de : Le mandat d'arrestation émanait de la gendarmerie du lieu.
Être à l'origine de : Un virus mal connu a été à l'origine du SIDA.
Être attribué : Elle attribuait tous ses maux à son angoisse permanente.
Être causé : Ces inondations ont été causées par un tremblement de terre.
Être dû à : Mes progrès en mathématiques sont dus à la compétence et à la clarté d'esprit de mon professeur.
Être imputé à : Le vol des tableaux a été imputé à une bande d'escrocs.
Être produit par : L'accident a été produit par le choc des deux véhicules.
Être provoqué par : Tous vos maux sont provoqués par le surmenage.
Inspirer de : Pour son roman il s'est inspiré d'un fait divers.
Procéder de : Les améliorations que l'on peut apporter aux traitements du cancer procèdent en partie des travaux des chercheurs de Villejuif.
Provenir de : Tous ces bijoux proviennent de vols commis dans des villas de la Côte d'Azur.
S'expliquer par : Son mauvais état de santé s'explique par l'abus de l'alcool.
Tenir à : Le malaise social tient à la politique gouvernementale.
Tirer son origine de : Les dernières recherches sur les images de télévision tirent leur origine des travaux de Daguerre et Niepce qui ont inventé la photographie.

4 Pour communiquer

1 En vous servant de l'inventaire précédent, répondez d'après votre imagination aux questions suivantes en variant le plus possible les tournures causales.

1. Pourquoi a-t-il eu un accident ? — 2. À quel titre a-t-il pu entrer gratuitement dans la salle de spectacle ? — 3. Pour quelle raison a-t-il été licencié ? — 4. Avait-il une raison valable pour ne pas aller à son travail ? — 5. Tu n'as plus rien sur ton

compte bancaire. Comment cela se fait-il? — 6. En quel honneur a-t-il pu avoir cette décoration?

Trouvez une réponse aux situations suivantes

1. Je n'ai pas pu voir la dernière scène du film. Finalement quel était le mobile du crime?

2. Allô, monsieur Guibard? Ici le surveillant général du lycée. Votre fils a manqué une semaine; il est revenu ce matin sans excuse de votre part. Pouvez-vous me dire le motif de son absence et le justifier?

3. Mademoiselle, vous allez entreprendre des études d'infirmière. Quelles sont vos motivations?

4. Pour vous, quelle est la source du bonheur?

Exercices écrits

Mettez le verbe entre parenthèses au mode qui convient

1. Puisque tu (savoir) si bien utiliser ton ordinateur, tu pourras m'expliquer certaines choses que je ne comprends pas. — 2. Dès l'instant où elle (savoir) que Jacques allait venir, elle a été extrêmement agressive. — 3. Grâce à l'intervention d'un ami, il (pouvoir) obtenir un poste intéressant. — 4. Mon père est très diminué intellectuellement: ce n'est pas qu'il (être) très âgé mais il a une grave maladie. — 5. Il n'est pas venu au cinéma avec nous sous prétexte qu'il (être) malade. — 6. Du moment que vous (payer) votre cotisation vous recevrez le journal gratuitement puisque désormais vous (être) membre de l'association. — 7. Puisque vous (prendre) l'autoroute pour rentrer à Paris, faites un détour par Vézelay pour visiter la basilique. — 8. Étant donné que nous (avoir) des économies, nous faisons le projet de partir en voyage. — 9. Nous ne lui avons pas envoyé l'argent qu'il nous demandait, non pas que nous (ne pas avoir confiance) en lui, mais nous (ne pas être d'accord) avec l'utilisation qu'il voulait en faire.

2 Terminer les phrases suivantes en exprimant une cause logique

1. Vous ne pourrez pas prendre le train demain du fait de .... — 2. Je ne t'accompagnerai pas au cinéma ce soir, du moment que .... — 3. Il injuriait sa femme quand il était sous l'emprise de .... — 4. Tu as versé des arrhes; dès lors .... — 5. Je ne lui ai plus donné signe de vie dès l'instant où .... — 6. Si je suis en aussi bonne santé c'est grâce à .... — 7. À force de .... il se prend à son propre jeu et se met à croire lui-même à tout ce qu'il a inventé. — 8. Sous couleur .... la dame âgée, il se faisait lui-même des chèques à son propre nom. — 9. On va boire de l'eau à défaut de .... — 10. On m'a adressé un dossier d'inscription en réponse à .... — 11. Il n'est pas venu me voir sous prétexte que .... mais j'ai su que ce n'était pas vrai. — 12. Maintenant que .... je peux continuer mes études.

3 Allégez et reformulez les phrases suivantes et supprimant « parce que » et en le remplaçant par une autre expression de cause proposée

a) Comme

1. Il croit toujours avoir raison parce qu'il pense être le seul à détenir la vérité. — 2. Il a pu obtenir un rendez-vous en priorité parce qu'il connaissait le chef de service. — 3. Il n'a pu donner une réponse définitive parce qu'il n'avait pas eu le temps de prendre connaissance entière du dossier. — 4. Il a été guéri rapidement parce qu'il était dans les mains d'un bon médecin. — 5. Il s'est brillamment tiré d'affaire parce qu'il avait des dons d'imitation particuliers.

b) Étant donné

1. J'ai lu ce livre parce qu'une amie me l'avait recommandé. — 2. Je fais toujours mes courses en vélo parce que je n'aime pas garer ma voiture en ville. — 3. L'avion n'a pas pu atterrir à Orly parce qu'il y avait du brouillard. — 4. Votre carte d'électeur n'est pas valable parce que vous ne l'avez pas signée. — 5. Le professeur a félicité son élève parce qu'il avait eu une bonne conduite pendant tout le semestre.

c) Le gérondif ou le participe présent

1. Elle avait une réduction de 30 % à la SNCF parce qu'elle avait une famille nombreuse. — 2. Il a fait croire qu'il était malade parce qu'il ne voulait pas aller en classe. — 3. Il a pu acheter une maison parce qu'il avait bien vendu son appartement. — 4. Il est venu faire des études en France parce qu'il avait pu obtenir une bourse. — 5. Je n'ai pas envoyé par la poste les tableaux que je veux t'offrir parce qu'ils sont très fragiles.

d) En raison de, à force de, pour, sous le coup de, du fait de

1. Parce qu'il a beaucoup travaillé, il a pu devenir chef de service. — 2. Parce qu'il était malade, il a été dispensé des corvées ménagères. — 3. Il a été décoré parce qu'il a accompli des exploits militaires. — 4. Il a battu son chien parce qu'il était en colère. — 5. Parce qu'il était vieux, il avait des réductions sur les transports publics.

4 Sur les modèles suivants, écrivez d'autres phrases en changeant les contextes mais en gardant les structures

Ex. (phrase donnée) : Il s'est marié sous la pression de ses parents.
Phrase réécrite avec la même structure : Il a fait des malhonnêtetés sous la pression d'un ami qui voulait l'entraîner dans de mauvaises affaires.

1. C'est en osant imaginer de nouvelles recettes que l'on apprend à être une bonne cuisinière. — 2. Sous le couvert d'une mission d'ordre professionnel il est parti quinze jours aux USA. — 3. Il n'aurait jamais pu accéder à ce poste sans son esprit d'entreprise. — 4. La peinture a pris de nouvelles orientations au milieu du XXe siècle sous l'impulsion de Picasso. — 5. Jean-Sébastien Bach est devenu aveugle à la fin de sa vie à force d'avoir recopié des partitions à la lueur d'une trop faible bougie. — 6. Je me suis inscrite en maîtrise à la Sorbonne sur les conseils de mon professeur. — 7. Les parents qui voyaient leur fils sous l'emprise de la drogue étaient accablés.

— 8. Mon poste de télévision fonctionne grâce à une petite antenne orientable. — 9. À force d'éplucher des légumes la jeune femme avait les mains abîmées. — 10. Faute d'information supplémentaire, il n'a pu aller à la réunion de quartier dont on lui avait vaguement parlé.

6 Pour aller plus loin

1 Remplacez les pointillés par un des mots suivants : l'auteur, le concepteur, le créateur, le fondateur, l'initiateur, l'inventeur, l'investigateur, le père, le promoteur

1. Albert Camus est .... de *L'Étranger*. — 2. Daguerre et Niepce sont les .... de la photographie. — 3. Yves Saint-Laurent et Christian Dior sont les .... de la mode contemporaine. — 4. Napoléon est le .... de la Légion d'honneur. — 4. Robert Badinter est .... de la loi sur l'abolition de la peine de mort en France. — 5. Les architectes contemporains sont les .... d'un style de vie nouveau dans l'habitat. — 6. Citroën a été le .... des premières voitures de tourisme en France. — 7. Après la Seconde Guerre mondiale, le chancelier Adenauer et le général de Gaulle ont été les .... de la construction de l'Europe. — 8. Le Club Méditerranée a été .... des vacances accessibles à beaucoup de monde. — 9. Des terroristes ont été les .... du complot pour assassiner le Président.

2 Remplacez les points de suspension par les substantifs suivants : le ferment ; le mobile ; le motif ; la motivation ; l'origine ; le pourquoi ; la raison ; la source ; le sujet

1. Quand on travaille avec un tel acharnement, on a obligatoirement une forte .... — 2. Le .... du crime était évident : s'approprier la fortune de la victime. — 3. Les .... qui ont poussé les agriculteurs à bloquer les trains sont d'ordre économique. — 4. Les .... qui ont amené la précarité dans le pays sont le chômage et la pauvreté. — 5. Les Français ont de nombreux .... de mécontentement. — 6. Personne n'a jamais su trouver l'......... de mes migraines. — 7. Dès qu'il s'agit d'argent, on voit apparaître ce qui sera plus tard un .... de discorde dans les familles. — 8. Vous ne devinez pas le .... de ma visite ? — 9. La .... de tous ses maux est venue de la séparation de ses parents.

3 D'autant plus. D'autant moins. D'autant mieux que.

Ces expressions indiquent la cause nuancée par la mesure, la proportion, l'insistance. Elles impliquent **une idée de cause + une idée de comparaison.**
Ex. : J'aime d'autant plus cet enfant qu'il est très affectueux envers moi.
Cela signifie que j'aime déjà cet enfant pour beaucoup de **raisons** mais que je l'aime **encore plus en raison de** l'affection qu'il me témoigne.

Remplacez les pointillés par « d'autant plus », « d'autant moins », « d'autant mieux ».

1. Je ne veux pas prendre ce mauvais chemin .... qu'il est toujours très glissant quand il pleut. — 2. Je ne comprends pas que tu dises du mal de ton ami .... que lui ne dit jamais rien de désobligeant sur toi. — 3. Cette enfant était .... aimée par ses oncles et tantes qu'on la savait orpheline. — 4. Il mérite .... tes bontés qu'il ne sait dire que des méchancetés sur toi. — 5. Il travaille .... qu'il devine la fierté de ses parents à l'idée de sa réussite. — 6. Il avait perdu tout espoir de guérir .... qu'il avait étudié à fond les risques de sa maladie. — 7. On a .... envie de lui offrir un livre qu'on sait qu'il n'en ouvre jamais un. — 8. On hésite .... à lui donner un peu d'argent qu'on sait qu'il va aller le boire tout de suite. — 9. On prête .... attention à ce qu'il dit qu'il parle toujours à voix très basse sans discernement. — 10. Il réussit .... que ses parents lui paient des cours particuliers.

4 La motivation

La motivation est un ensemble de causes d'ordre psychologique, (souvent affectif) conscientes ou inconscientes qui nous poussent à agir dans un certain sens. La plupart du temps nos motivations expliquent notre comportement.

Ex. : La motivation d'un coureur cycliste est de gagner le Tour de France.
Ce qui implique un ensemble de plusieurs raisons de gagner ; la gloire, l'argent, être le meilleur, être la fierté de la femme qu'il aime etc., etc.

Répondez aux questions suivantes : quelles sont les motivations

1. d'un étudiant ? — 2. d'un voyageur allant pour la première fois dans un pays étranger ? — 3. d'un escroc ? — 4. d'un professeur ? — 5. d'un directeur de publications ? — 6. d'un chef cuisinier ?

Et vous, quelles sont vos motivations pour apprendre le français ?

7 Travaux pratiques

1 Jeux de rôles

Par groupes de trois, vous réfléchissez une dizaine de minutes puis vous mimez les sketchs suivants :

a) Julie est rentrée à la maison à deux heures du matin :
Son père lui demande des explications
Julie en donne mais elles ne sont pas valables
Son père insiste car il veut savoir les causes de son retard
Julie fait semblant de ne pas comprendre
Son père se met en colère
La mère intervient, etc.

b) Vous êtes agent immobilier :
Vous faites visiter un appartement à un couple de quadragénaires encore indécis. Vous essayez de les pousser à acheter cet appartement en leur donnant toutes les raisons pour lesquelles ils doivent se décider rapidement, etc. Ils vous répondent, etc.

Travaux écrits

a) Vous voulez fonder une troupe de théâtre dans votre université. Vous préparez une affiche d'information avec des arguments pour motiver vos camarades.

b) Vous êtes le publiciste d'une agence de voyages. Vous écrivez une page pour convaincre le futur voyageur encore indécis à participer au voyage organisé au mois de juin par votre agence.

c) Trouvez des prétextes pour refuser. Écrivez la lettre de réponse à ces invitations :

1. M. et Mme Durand seraient heureux de vous inviter à dîner le 31 octobre à 20 heures.
2. Qu'est-ce que tu fais ce soir ? On va au cinéma avec tous les copains. Tu viens avec nous ?
3. Formidable ! C'est extraordinaire de se rencontrer dans Paris après tant d'années. On va déjeuner ensemble ? Il y a plein de petits « restaus » dans le quartier. Allez, on y va !
4. Mme Morel, votre voisine du 4e étage organise samedi soir une couscous-party. Vous venez, naturellement ?
5. Le P.-D.G. de la société et le comité d'entreprise ont l'honneur de vous inviter à la petite cérémonie amicale organisée le 6 novembre prochain à l'occasion du départ à la retraite de notre collègue Mme Bertrand qui a assuré dans notre Maison quarante années de service. Une enveloppe est déposée au secrétariat administratif pour que nous puissions lui offrir un cadeau collectif. R.S.V.P. avant le 30 octobre.

Texte

LA PLUIE

Paul Verlaine (1844-1896) évoque dans ce poème de *Romances sans paroles* un état d'âme mélancolique et tourmenté :

Il pleure dans mon cœur
Comme il pleut sur la ville :
Quelle est cette langueur
Qui pénètre mon cœur ?

Ô bruit doux de la pluie
Par terre et sur les toits !
Pour un cœur qui s'ennuie
Ô le chant de la pluie !

Il pleure sans raison
Dans ce cœur qui s'écœure.
Quoi ! Nulle trahison ?...
Ce deuil est sans raison.

C'est bien la pire peine
De ne savoir pourquoi.
Sans amour et sans haine
Mon cœur a tant de peine.

Repérage et inventaire

1. Qui parle ?
2. Dans quel état d'âme se trouve-t-il ?
3. Quelles sont les causes de sa peine ?
4. En réalité quelles en sont les causes profondes ?
5. Comment ces causes sont-elles énoncées ?
6. Que pensez-vous de cet « état d'âme » ?

Dossier 2

L'Expression de la conséquence

1 Texte de sensibilisation

Les conséquences de l'attentat du 11 septembre 2001

Le 11 septembre 2001, deux avions de ligne percutaient les tours jumelles de Manhattan (World Trade Center) entraînant l'effondrement des deux tours et la mort de 2 800 personnes. On n'a pas fini encore de mesurer l'impact sur le monde entier de cet attentat spectaculaire dont les retombées à longue échéance ne peuvent être encore évaluées.

La conséquence la plus humaine a été la grosse émotion immédiate soulevée dans l'opinion publique au cœur de chaque individu: la peur, l'impression que chacun pouvait être vulnérable dans sa propre sécurité et dans la vie de ses plus proches. Le monde entier a pris conscience de la fragilité de la vie alors que la plupart d'entre nous se croyaient à l'abri du danger. La mesure de la violence qui menaçait l'étendue de la planète, dont des pays apparemment invulnérables à une telle échelle, a engendré chez nombre de citoyens des réactions de terreur et de protection insoupçonnées. Par ricochet on a même cru à des éléments d'attaque biologique qui par bonheur se sont révélés injustifiés.

Une incidence plus politique et militaire a été la riposte. Il est apparu comme nécessaire de venger les innocents écrasés sous les décombres des tours de Manhattan. En cascade, une série de dispositions militaires se sont mises en place, dont les plus spectaculaires ont été les bombardements en Afghanistan dans le but d'éradiquer les bases du terrorisme. Cette réaction était évidemment prévisible, mais non dénuée de retombées.

Les grandes puissances se sont impliquées à des degrés divers dans cette guerre dont les premières répercussions ont déjà mis en évidence l'extrême précarité et la misère des populations civiles: la plupart ont dû fuir les sites proches des bombardements et se réfugier sous des toiles de tentes incapables de les protéger du froid. Les médias nous ont montré chaque jour des cohortes de vieillards et d'enfants cheminant dans la neige pour gagner des abris de fortune sous lesquels ils seront à peu près sûrs de mourir de faim et de misère. Puis, quelques jours plus tard, les signes de la libération d'un pays qui ne connaissait que les interdictions et les répressions.

Quelles seront les répercussions de ces événements sur l'économie mondiale? On ne peut encore l'évaluer, mais il est évident que les retombées de tous ces événements auront une portée que l'opinion mondiale ne peut encore imaginer.

Les nombreux États impliqués dans cet enchaînement d'événements se heurtent maintenant à d'énormes difficultés génératrices de conflits lourds à régler et de problèmes économiques qui prennent des proportions encore peu mesurables.

On ne voit pas encore se lever sur le monde les signes annonciateurs de temps meilleurs où la paix et la possibilité pour chaque individu de manger à sa faim seront à la portée de tous. Quelle sera l'issue de ces conflits? Elle sera sans doute dans les mains des jeunes générations qui aspirent à d'autres espérances de vie et qui sauront envisager des dénouements que l'état actuel des choses ne permet pas d'espérer actuellement.

Repérage

De quoi s'agit-il?
Relevez dans ce texte les conséquences exprimées de l'attentat du 11 septembre 2001.
Soulignez dans ce texte les mots ou les expressions qui expriment une conséquence. Établissez-en une liste.

Comment avez-vous mesuré les conséquences du 11 septembre dans votre propre pays?

2 Les outils grammaticaux

1. Règle générale

Toutes les expressions grammaticales qui expriment une conséquence sont suivies de l'indicatif sauf «trop... pour» et «assez... pour» qui sont suivies du subjonctif.
Ex.: Il s'est levé trop tard si bien qu'il a manqué son train.
Il est trop riche pour que la crise économique mondiale puisse l'atteindre.

2. Les locutions couramment utilisées

Voici les locutions les plus courantes que vous connaissez déjà (par ordre alphabétique):

Ainsi... (après «ainsi» il y a une inversion du sujet et du verbe, sauf si «ainsi» est suivi d'une virgule); alors...; aussi... (après «aussi» avec un sens de conséquence, il y a inversion du sujet et du verbe sauf s'il est suivi d'une virgule); c'est pour cela que...; c'est pourquoi...; d'où...; de ce fait...; de là...; de sorte que...; de telle façon que...; de telle manière que...; dès lors... (idée de temps + idée de conséquence); depuis lors...; donc...; en conséquence...; par conséquent...; si (+ adjectif ou adverbe ..... que...) si bien que...; tant de (+ nom); tant (+ verbe + que); tel (+ nom); tellement que... etc.

Ex. : Il n'avait plus d'argent liquide. Aussi a-t-il dû utiliser sa carte bancaire.
Ce matin il a constaté qu'il n'avait plus d'argent : dès lors il n'a plus pu utiliser sa carte bancaire.
Il a tant d'argent qu'il ne sait plus qu'en faire
Il a tant travaillé qu'il est très fatigué etc.

3. Les autres locutions

Voici d'autres locutions dont le maniement est plus délicat. Étudiez attentivement les exemples donnés afin d'en observer le fonctionnement dans la phrase (l'ordre est alphabétique) :

Assez + adjectif ou adverbe + pour que : (idée d'excès dans la principale) : Il est assez compétent dans sa spécialité pour que l'on puisse avoir toute confiance en lui.

Au point de (la conséquence est poussée à l'extrême ; le sujet est le même pour les deux verbes des deux propositions) : Il a travaillé au point d'en tomber malade.

Au point que (la conséquence est poussée à l'extrême : les sujets sont différents dans les deux propositions) : Il travaille au point que sa famille ne supporte plus ses horaires de travail.

Il faut… pour que… (il faut passer par une obligation pour obtenir la conséquence souhaitée + subj.) : Il faut répéter dix fois les mêmes choses sous des formes différentes pour que les élèves aient tous bien compris l'explication.

Il s'en faut de + quantité + que + ne explétif… (conséquence évitée de justesse + subj.) : Il s'en est fallu de quelques secondes que nous n'ayons un grave accident.

Il suffit de… pour… (idée de quantité suffisante pour obtenir la conséquence) : Il suffit de bien connaître son cours pour réussir son examen.

Jusqu'à… (conséquence poussée à l'extrême) : Il a sombré dans l'alcoolisme jusqu'à éprouver la nécessité de suivre des cures de désintoxication.

Sans + infinitif (la conséquence est inévitable : le sujet est le même dans les deux propositions) : Il ne peut supporter la moindre critique sans se fâcher.

Sans que (la conséquence est inévitable : le sujet est différent dans les deux propositions) : Il ne peut arriver en retard sans que ses collègues lui fassent des réflexions désagréables.

4. Les outils plus familiers du langage parlé

Bilan : Il y a eu un attentat ; bilan : 10 blessés graves.

Comme quoi : J'ai dit une bêtise ; comme quoi j'aurais mieux fait de me taire.

Conclusion : J'ai prêté de l'argent à un ami ; il a refusé de me le rendre. Conclusion : j'ai perdu mon argent et mon ami.

Du coup : Il a été vexé d'avoir raté son permis de conduire ; du coup il n'a jamais voulu recommencer.

Et (la conséquence s'entend dans l'intonation) : Tu as trop mangé et tu as été malade.

Morale ou morale de l'histoire : Il a voulu aider un ami. Il s'est fait critiquer sévèrement ; morale (ou morale de l'histoire) : pour vivre heureux, vivons cachés.

Moralité : Il n'arrête pas de dire des mensonges ; moralité : personne ne peut attacher de l'importance à ce qu'il dit.

Voilà pourquoi : Il n'arrête pas de mentir ; voilà pourquoi personne n'apporte de crédit à ce qu'il dit.

3 Les outils lexicaux

1. Les substantifs

L'aboutissement : Il a enfin vu l'aboutissement de ses efforts.

La conclusion : Ce divorce a été la conclusion d'un désaccord profond.

La conséquence : Il a récolté les conséquences de ses actes.

Le contrecoup (conséquence indirecte) : L'apparition d'un cancer est souvent le contrecoup d'un traumatisme psychologique antérieur.

Le corollaire (conséquence directe de quelque chose qui a été énoncé avec certitude) : Le taux de chômage actuel en France n'est que le corollaire de la crise économique mondiale.

Le dénouement (conséquence définitive d'une situation compliquée) : Il a fallu attendre des années pour que leurs efforts de réconciliation arrivent à un dénouement satisfaisant.

L'écho (s'emploie lorsque l'on veut exprimer que l'esprit adhère) : Son discours a été reçu avec un écho favorable.

L'effet : Son intervention n'a eu aucun effet sur la situation politique.

Le fruit (s'emploie pour une conséquence positive) : C'est lorsqu'un jeune atteint l'âge de vingt ans que l'on peut commencer à mesurer le fruit de l'éducation qu'il a reçue.

L'impact (s'emploie pour exprimer une conséquence brutale) : L'assassinat du Président a eu un impact énorme sur l'économie mondiale.

L'incidence : La nouvelle loi n'a eu aucune incidence sur le taux de chômage.

La portée : Est-ce que tu mesures bien la portée de tes paroles ? Il me semble que tu en est tout à fait inconscient.

Le produit : C'est le produit de son travail.

La réaction : Cet accident d'avion, dû à une négligence reconnue, a provoqué une réaction de stupeur et de révolte dans le monde.

Le rebondissement (conséquence qui apparaît après un temps où il ne s'est rien passé) : Après trois mois de recherches sans résultats, la découverte d'un nouveau document a entraîné un rebondissement de l'enquête.

Le rejaillissement : Son succès a eu un rejaillissement de gloire sur toute la famille.

Le retentissement : II a eu un coup très dur dans sa vie sentimentale ; cela a eu un retentissement certain sur sa vie professionnelle.

Le résultat: Voilà les résultats de ta paresse.

Les retombées (conséquences avec des effets secondaires; généralement au pluriel.): Une situation politique difficile entraîne inévitablement des retombées économiques.

La riposte (la conséquence est immédiate): La riposte a été instantanée; on a mis l'employé à la porte dès le lendemain.

Les séquelles (terme employé la plupart du temps pour une maladie ou un accident; toujours au pluriel): Les séquelles des oreillons ou de la rougeole…

Les suites (marque une conséquence à plus ou moins long terme): Les suites d'un procès… ou d'une faillite… ou d'un drame familial, etc.

2. Les verbes (ordre alphabétique)

Aboutir à: Toutes ces disputes ont abouti à un divorce.

Amener à: Son attitude m'a amené à prendre désormais des distances avec lui.

Attirer à: La gentillesse et l'efficacité du président ont attiré dans l'association sportive de bons éléments.

Attiser: Il ne sait qu'attiser la haine autour de lui et monter les membres de sa famille les uns contre les autres.

Causer: Ce nouveau médicament a causé des malaises inattendus.

Conduire à: Les mauvaises fréquentations de son fils l'ont conduit à le changer d'établissement scolaire au milieu de l'année.

Créer: La surcharge des voitures en ce jour de grands retours a créé des embouteillages monstres sur les routes.

Déboucher: Ses études ont débouché sur une thèse qui lui permettra d'entrer dans la sidérurgie.

Décider à: La paresse de notre fils nous a décidés à le mettre en pension.

Déterminer à: L'extension du chômage a déterminé la mise en place de nouveaux décrets.

Engendrer: Notre société a engendré une génération de nouveaux consommateurs toujours plus exigeants.

Entraîner à (ou de + infinitif): Il nous a entraînés à engager des dépenses que nous n'avions pas prévues. (Il a été contraint de démissionner.)

Être contraint à: À la suite du vote, il a été contraint à une démission qu'il n'avait pas souhaitée.

Être forcé: Il a été forcé de démissionner.

Être réduit: Les ouvriers ont été réduits au licenciement ou au départ volontaire.

Éveiller: Ton récit éveille en moi des souvenirs.

Exciter: L'évocation de ses souvenirs excitait l'imagination de mon grand-père.

Inciter à: Le mauvais exemple de ses camarades l'ont incité à fumer.

Inviter à: Le beau temps nous invite à sortir.

Faire naître: Le racisme fait naître des sentiments de haine.

Occasionner : Toutes les guerres occasionnent beaucoup de souffrances.
Pousser à : Son amour pour les plus pauvres l'a poussé à lutter à leurs côtés contre la misère.
Procurer : Cet appartement ne m'a procuré que des ennuis.
Produire : L'intolérance a produit beaucoup de conflits dans le monde.
Provoquer : Ses paroles ont provoqué la colère de son père.
Rallumer : Les derniers événements ont rallumé les oppositions au gouvernement.
Ranimer : La crainte de nouveaux attentats a ranimé les combats.
Raviver : Sa réussite a ravivé son ardeur au travail.
Réduire : Son renvoi de l'usine l'a réduit au chômage et à la précarité.
Réveiller : Ton récit a réveillé en moi des souvenirs que je croyais oubliés depuis longtemps.
Soulever : Son discours a soulevé l'enthousiasme de la foule.
Susciter : Son comportement a suscité en moi une grande indignation.

Il découle de… que… : Du discours du Président, il découle que la France est dans une mauvaise situation financière.
Il résulte de… que… : Des négociations de l'ONU il résulte que des accords de paix pourraient être envisagés.
Il ressort de… que… : Il ressort des derniers sondages que les Français sont satisfaits de la politique gouvernementale.
Il s'ensuit que : Vous bavardez beaucoup trop pendant vos heures de travail. Il s'ensuit que votre rendement baisse sensiblement.
Il s'en est suivi que… : Après l'apparition du SIDA en France, il s'en est suivi que le gouvernement a lancé une série de mesures destinées à enrayer l'épidémie.

4 Pour communiquer

1 Créer des slogans

Voici un slogan que l'on trouve souvent affiché sur les murs :

Fumer provoque des maladies graves

À votre tour, trouvez d'autres slogans en utilisant les verbes donnés :
1. .... incite à ....
2. .... engendre ....
3. .... provoque ....
4. .... fait naître ....
5. .... suscite ....
6. .... suscite ....
7. .... réveille ....
8. .... attise ....

2 Entraînement à l'expression orale

Voici des bribes de conversation de langage parlé. Afin de mémoriser ces structures, vous réutiliserez les mêmes structures en inventant d'autres contextes:
Ex.: J'ai fait un trop bon dîner hier soir; j'ai mangé du foie gras, bu du vin etc. Résultat: j'ai mal à la tête aujourd'hui.
Utilisation de la même structure avec un autre contexte: Il a voulu rouler trop vite. Résultat: il a eu un accident.

À vous:

1. Je n'ai pas arrêté de répondre au téléphone aujourd'hui. Résultat: je n'ai pas pu faire la moitié de mon travail.
2. Il y a eu un terrible tremblement de terre la semaine dernière. Bilan: 200 morts et 1 000 blessés.
3. J'ai rencontré une amie dans la rue. Nous avons bavardé longuement: du coup j'ai complètement oublié de prendre le pain.
4. J'ai prêté de l'argent à un ami, mais au bout de six mois il m'a assuré qu'il ne s'en souvenait plus. Conclusion: quand on prête de l'argent à quelqu'un, il faut toujours qu'il y ait une trace écrite.
5. Il est très riche, a plusieurs villas sur la Côte d'Azur, mais a une grave maladie. Il est finalement très triste. Moralité: l'argent ne fait pas le bonheur.
6. Il avait demandé à son fils de ne pas aller faire du foot ce jour-là car il venait d'avoir la grippe. En rentrant du travail, il est passé devant le terrain de sport. Et qu'est-ce qu'il a vu? Son fils qui courait après le ballon. Comme quoi cela ne sert à rien de faire trop de recommandations aux jeunes: du coup il ne lui dit plus rien du tout maintenant!

5 Exercices écrits

1 Complétez les phrases suivantes en exprimant les conséquences de votre choix

1. Maintenant il est trop tard pour que son père .... — 2. L'été a-t-il été suffisamment ensoleillé pour que le raisin ....? — 3. Il avait travaillé toute la journée sur son ordinateur si bien que le soir il .... — 4. Le skieur de fond était si fatigué à la fin de sa compétition qu'il .... — 5. Le député a fait tellement de promesses à ses électeurs qu'il .... — 6. Les écologistes ont redoublé d'activité tant et si bien que .... — 7. Mes amis ont abusé de ma ligne téléphonique depuis un mois au point que .... — 8. Il m'a tellement répété ses conseils de prudence que .... — 9. Il mentait sans vergogne à toute occasion; aussi .... — 10. Le grand hôtel du centre a fermé ses portes; alors ....

2 On vous donne les conséquences. Vous devez trouver les causes en écrivant le début des phrases.

Ex. : si bien qu'elle s'est cassé la jambe.
Elle a glissé sur le trottoir, si bien qu'elle s'est cassé la jambe.

1. .... de sorte qu'il a dû déposer son bilan. — 2. .... tant et si bien qu'il n'a plus d'amis. — 3. .... si bien que mon compte est débiteur. — 4. .... au point que son père a été obligé d'intervenir. — 5. .... de telle manière qu'il n'est jamais revenu sur la question. — 6. .... au point d'en avoir une crise cardiaque. — 7. .... d'où mon étonnement. — 8. .... et il a repris courage. — 9. .... résultat : on a été obligé de voter à main levée. — 10. .... dès lors il a compris que toute vérité n'est pas bonne à dire.

3 Pas assez... pour que... ; .. Trop... Pour que...

a) Transformez avec le subjonctif
(attention : dans certaines phrases les négations devront être modifiées pour conserver le sens)
Ex. : Mon congélateur n'est pas assez grand ; je ne peux pas y mettre beaucoup de choses.
Mon congélateur n'est pas assez grand pour que je puisse y mettre beaucoup de choses.

1. Les chiens sont trop attachés à leur maître ; on ne peut les mettre en pension dans un chenil pendant les vacances. — 2. La moyenne de ses notes est trop basse ; on ne peut l'autoriser à passer dans la classe supérieure. — 3. Il n'est pas assez connaisseur en musique ; les concerts sont pour lui une source réelle d'ennui. — 4. Elle parle beaucoup trop bas ; on ne peut pas l'entendre. — 5. Il fait trop froid et le ciel est trop clair ; il ne pourra pas neiger cette nuit. — 6. J'ai offert un livre à ma mère. Il est trop gros ; elle ne peut pas le lire facilement. — 7. La maison que nous avons visitée est agréable ; cependant elle est trop petite ; nous ne pourrons tous y loger. — 8. Mon écran de télévision est trop petit ; je ne peux pas lire les sous-titrages. — 9. Il est trop fatigué ; les voyages ne lui font pas plaisir. — 10. Ce parapluie n'est pas assez grand ; nous ne pouvons être protégés de la pluie.

b) Transformez avec l'infinitif

Ex. : Il est trop fatigué. Il n'ira pas au cinéma.
Il est trop fatigué pour aller au cinéma.

1. Ils sont trop centrés sur leurs petits problèmes ; ils ne pensent pas aux autres. — 2. Il est trop avare ; il ne s'offre jamais quelque chose d'agréable. — 3. Mes parents sont trop loin de nous ; ils ne viendront pas pour Noël. — 4. J'ai suffisamment d'ennuis en ce moment ; je ne veux pas en rajouter. — 5. Tu n'as pas assez d'expérience ; tu ne peux pas te lancer dans ce métier. — 6. Nous ne sommes pas assez nombreux ; nous ne pouvons pas organiser un match de volley. — 7. Il ne fait pas assez froid ; il

ne neigera pas. — 8. Ma voiture est trop chargée; elle ne va pas vite. — 9. Elle n'est pas assez riche; elle ne peut s'offrir un bon repas dans un restaurant chic. — 10. Il a une trop mauvaise santé; il ne peut assurer un travail fatigant.

6 Pour aller plus loin

1 Étude des expressions: **Il s'en faut de peu** (on peut l'utiliser au passé, au présent, au futur, au conditionnel) **+ que + subjonctif**

Il s'en faut de + un nom + infinitif
Dans le langage familier on dit quelquefois: il s'en est fallu d'un cheveu que...

Ex.: Il s'en est fallu de peu qu'il réussisse son concours.
Il s'en est fallu d'une place qu'il réussisse son concours.
Il s'en est fallu d'un cheveu qu'il réussisse son concours.
Il s'en est fallu de quelques voix au nouveau président pour avoir atteint la majorité absolue.

Transformez les phrases suivantes suivant un des modèles ci-dessus.

1. Avec une toute petite somme en plus, j'aurai pu avoir un appartement plus grand. — 2. Pour un peu, son fils était nommé en Allemagne dans une antenne de son entreprise. — 3. Elle était sur le point de tomber d'inanition. — 4. Il a failli devenir alcoolique. — 5. Il lui a manqué à peine une semaine pour obtenir un sursis. — 6. Il a frôlé la mort de peu. — 7. Elle était prête à ouvrir sa porte au cambrioleur. — 8. Le gaz serait resté ouvert cinq minutes de plus, tout l'immeuble sautait.

2 Les conséquences matérielles et pécuniaires

Les avantages	Les désavantages
un avantage	un déficit
un bénéfice	un désavantage
un intérêt	un dommage
un gain	une perte
une plus-value	un préjudice
un privilège	
un profit	
une occasion	
une aubaine	au détriment de
Adjectifs	
avantageux	désavantageux
bénéfique	
favorable	
économique	défavorable
favorisé	défavorisé
intéressant	inintéressant
profitable	

Remplacez les pointillés par les mots convenables choisis dans le tableau ci-dessus.

1. On a .... à diversifier ses investissements afin de ne pas « mettre tous ses œufs dans le même panier ». — 2. Le livreur ne refuse jamais un pourboire; il n'y a pas de petits .... — 3. De nombreux quotidiens proposent souvent des abonnements à prix réduit: ce sont des .... souvent réservés aux enseignants. — 4. Il a acheté son appartement il y a quinze ans. Depuis son prix a triplé; c'est une .... extraordinaire. — 5. J'ai dû emprunter une somme d'argent importante à un taux d'intérêt de 15 %; c'est une opération tout à fait .... mais je n'avais pas le choix. — 6. Cette opération est .... pour nous car nous pourrons en tirer un bon bénéfice. — 7. À la fin de l'année le comptable a fait son bilan; il a été consterné car il a constaté un .... de plusieurs milliers d'euros. — 8. On s'est aperçu qu'il avait fait de fausses factures: cela a causé un grave .... à son entreprise. — 9. Dans la succession le notaire a effectué un partage des biens qui avaient appartenu aux parents; l'aîné a nettement été .... par rapport à son cadet qui n'a eu que des objets sans valeur. — 10. Il faut démontrer au client que c'est dans son .... d'acheter de la bonne qualité. — 11. Les agriculteurs en colère ont déversé des tonnes de pêches trop mûres sur le bord de la route; cela représente pour eux une .... de plusieurs milliers d'euros. — 12. Quand on escroque un client, c'est toujours au .... de quelqu'un d'autre. — 13. Son frère venait en voiture. Elle a profité de l' .... pour lui confier une valise lourde à emporter chez ses parents. — 14. Pour inaugurer sa nouvelle ligne aérienne, la compagnie Air Canada a offert cent voyages gratuits aux premiers voyageurs; j'ai vite profité d'une pareille ...., tu t'en doutes bien!

3 Les conséquences heureuses ou malheureuses

Les conséquences heureuses: un aboutissement, un fruit, une récompense, une réussite, un succès, un triomphe, une victoire.
Les conséquences malheureuses: une défaite, une déroute, un échec, une faillite, un four (échec d'une pièce de théâtre), des revers.

Remplacez les pointillés par le mot convenable choisi dans la liste ci-dessus

1. Il a tellement travaillé pour passer son concours que l'on peut dire que sa .... a été bien méritée. — 2. Les musiciens de l'orchestre avaient donné le meilleur d'eux-mêmes pour que le concert soit un .... — 3. Jean-Paul Sartre avait l'habitude de dire que « la vie était l'histoire d'un échec ». Il est vrai que dans toute vie il y a des .... mais il y a aussi des .... qui nous procurent des joies. — 4. Une troupe de jeunes comédiens a monté la première pièce d'un auteur encore inconnu qui n'a pas attiré les foules. Cela a été un vrai .... bien que les comédiens se soient surpassés. — 5. Après son accident sa rééducation motrice a été une vraie .... du courage et de la persévérance sur l'adversité. — 6. La chute de Kandahar a montré la .... du régime des talibans. — 7. L'œuvre de cet écrivain a été couronnée par l'Académie Française. Cet honneur a été le .... de longues années de

travail obscur. — 8. La campagne électorale s'est terminée par la cuisante .... du candidat malheureux qui a cependant félicité son adversaire. — 9. Dans sa fuite, l'armée en .... a laissé sur le bord de la route des carcasses de chars calcinés. — 10. Ses parents avaient amassé une grosse fortune, mais il n'a pas su la gérer convenablement et après avoir essuyé plusieurs .... il a dû chercher un emploi d'ouvrier non qualifié. — 11. Le jour de sa victoire électorale il a enfin vu l' .... de ses efforts pendant toute la durée de la campagne. — 12. Si je réussis mon examen, j'offre le champagne à tous mes copains pour fêter mon .... — 13. Autrefois on donnait des livres reliés et dorés sur tranche aux élèves brillants comme .... d'une année de bon travail.

4 Reliez les phrases suivantes par les expressions : il suffit de... pour que... ; il suffit que, il n'y a qu'à

Ex. : Il fait deux jours de soleil au mois de mars/l'herbe reverdit.
Il suffit qu'il fasse deux jours de soleil au mois de mars pour que l'herbe reverdisse.

Attention : si les sujets des deux phrases sont identiques « pour » sera suivi de l'infinitif :
Ex. : Il a eu deux jours de repos/il reprend son travail avec plaisir.
Il suffit qu'il ait eu deux jours de repos pour reprendre son travail avec plaisir.

L'expression « il n'y a qu'à » s'emploie surtout dans le langage parlé. C'est quelquefois une manière polie de donner un ordre ou un conseil.
Ex. : Ajoutez un peu de sucre dans ce gâteau/il sera bien meilleur.
Il n'y a qu'à ajouter un peu de sucre dans ce gâteau pour qu'il soit bien meilleur.

1. Ils vont se promener une heure dans la forêt/Ils reviennent heureux et détendus. — 2. On montre de loin son biberon au bébé/Il s'arrête tout de suite de pleurer. — 3. Chaque fois que je vais aux Galeries Lafayette/Je rencontre quelqu'un que je connais. — 4. Quand il a la migraine il prend un comprimé d'aspirine/En une demi-heure tout est fini. — 5. On met une cuillère de café dans de l'eau bouillante/On obtient immédiatement une tasse de café. — 6. Le train a cinq minutes de retard/Je vais rater ma correspondance. — 7. Si l'on arrose les massifs de fleurs tous les jours/Elles sont magnifiques tout l'été. — 8. Il y aura une belle éclaircie dans le milieu de la journée/On pourra faire un pique-nique. — 9. Dans le midi au cœur de l'été, une pomme de pin s'enflamme pour une raison quelconque/L'incendie peut ravager des centaines d'hectares en quelques minutes. — 10. Un petit camarade lui fait une réflexion sur son habillement/Elle éclate en sanglots.

7 Travaux pratiques

1 Jeu de rôle

Il vous est arrivé une série de catastrophes qui découlent toutes les unes des autres.
– Vous n'avez pas trouvé tout de suite vos clés au moment de partir.
– Vous êtes donc parti en retard.
– Vous n'avez plus trouvé de place pour garer votre voiture.
– Vous avez compté sur votre bonne chance et vous l'avez garée dans un endroit interdit.
– Votre voiture a été emmenée à la fourrière etc., etc.

1. Vous êtes optimiste. Vous racontez ces événements à un ami en les dédramatisant. Vous n'êtes pas catastrophé. Vous essayez d'y voir de l'humour. Les conséquences vous amusent etc.

2. Vous êtes pessimiste. Vous racontez la même histoire. Cette série d'événements sont des catastrophes irréparables. Vous avez le moral à zéro (fam.) ; vous êtes au bord de la dépression. Vous envisagez des conséquences inévitables et désastreuses etc.

2 Travail écrit

1. Rédaction d'un article de journal. Établissez la liste des conséquences de la pollution des mers et rédigez un article de journal pour mettre en garde les baigneurs trop confiants.

2. Rédaction d'articles publicitaires. Rédigez deux articles publicitaires pour démontrer les conséquences heureuses de deux produits qui arrivent sur le marché : une poudre à laver-miracle et une gamme de produits allégés.

8 Texte

LE SAVETIER ET LE FINANCIER

La Fontaine, poète du XVIIe siècle est célèbre en France pour ses *Fables*. Ce sont de petites histoires où l'auteur met en scène soit des hommes soit des animaux afin d'en tirer une morale ou une sagesse. Ici La Fontaine met en contraste un savetier (un modeste artisan qui fabrique des sabots, des chaussures, c'est-à-dire un homme pauvre) avec un financier qui gagne beaucoup d'argent. La Fontaine analyse les conséquences de la richesse et de la pauvreté sur le comportement des deux hommes.

Un savetier chantait du matin jusqu'au soir :
C'était merveilles de le voir,
Merveilles de l'ouïr : il faisait des passages,
Plus content qu'aucun des sept sages[1].
Son voisin au contraire, étant tout cousu d'or,

1. Sept philosophes populaires grecs du VIe siècle avant J.-C.

Chantait peu, dormait moins encore:
C'était un homme de finance.
Si sur le point du jour parfois il sommeillait,
Le savetier alors en chantant l'éveillait;
Et le financier se plaignait
Que les soins de la Providence
N'eussent pas au marché fait vendre le dormir,
Comme le manger et le boire.
En son hôtel il fait venir
Le chanteur et lui dit: « Or çà, sire Grégoire,
Que gagnez-vous par an? – Par an? Ma foi, monsieur,
Dit avec un ton de rieur
Le gaillard savetier, ce n'est point ma manière
De compter de la sorte; et je n'entasse guère
Un jour sur l'autre: il suffit qu'à la fin
J'attrape le bout de l'année,
Chaque jour amène son pain.
– Eh bien! que gagnez-vous, dites-moi, par journée?
– Tantôt plus, tantôt moins: le mal est que toujours
(Et sans cela nos gains seraient assez honnêtes),
Le mal est que dans l'an s'entremêlent des jours
Qu'il faut chômer; on nous ruine en fêtes;
L'une fait tort à l'autre; et monsieur le curé
De quelque nouveau saint charge toujours son prône. »
Le Financier riant de sa naïveté
Lui dit: « Je vous veux mettre aujourd'hui sur le trône.
Prenez ces cent écus; gardez-les avec soin
Pour vous en servir au besoin. »
Le Savetier crut voir tout l'argent que la terre
Avait depuis plus de cent ans
Produit pour l'usage des gens.
Il retourne chez lui; dans sa cave il enserre
L'argent, et sa joie à la fois.
Plus de chant: il perdit la voix
Du moment qu'il gagna ce qui cause nos peines.
Le sommeil quitta son logis:
Il eut pour hôtes les soucis,
Les soupçons, les alarmes vaines.
Tout le jour il avait l'œil au guet; et la nuit
Si quelque chat faisait du bruit,
Le chat prenait l'argent. À la fin le pauvre homme
S'en courut chez celui qu'il ne réveillait plus:
« Rendez-moi, lui dit-il, mes chansons et mon somme,
Et reprenez vos cent écus. »

La Fontaine, *Fables*, livre huitième, fable 2.

Repérage

1. Quels sont ces deux personnages?
2. Quelles sont leurs professions?
3. Pourquoi le savetier est-il heureux?
4. Pourquoi le financier est-il malheureux?

Inventaire

1. Quelles sont les conséquences de la pauvreté chez le savetier?
2. Quelles sont les conséquences de la richesse chez le financier?
3. Quelles sont les conséquences de l'insouciance pour le savetier?
4. Quelles sont les conséquences de l'inquiétude pour le financier?
5. Quelles sont les conséquences de la richesse sur la nouvelle vie du savetier?

Expression orale

Racontez maintenant cette même histoire à votre façon.

Débat

Quelles sont les conséquences de la richesse et de la pauvreté sur un groupe social? Des enfants? Des adolescents? Une famille? etc. Donner des exemples concrets.

L'Expression du but ou la finalité

1 Texte de sensibilisation

Transantartica

Médecin spécialiste de nutrition et de biologie du sport, le docteur Jean-Louis Étienne, un explorateur français, avait, depuis de longues années, conçu un grand projet : celui d'atteindre le pôle Nord en solitaire. Il réalisa son rêve et atteignit son objectif après soixante-trois jours de marche épuisante ; il était soutenu par un immense désir de vaincre à tout prix et de prouver que la capacité de résistance et d'endurance de l'homme était bien supérieure à tout ce que l'on pouvait imaginer. Le 11 mars 1986 il plantait le drapeau français sur le pôle Nord.

Dès son retour, il élaborait un autre projet, plus audacieux encore : cette fois-ci il rêvait de conquérir le pôle Sud.

En 1989, il décida de lancer la plus grande expédition jamais réalisée en Antarctique afin d'attirer l'attention du monde entier sur l'avenir de ce continent et sur le rôle qu'il pourrait jouer dans l'avenir de notre planète. Il résolut de partir avec six compagnons désireux comme lui de connaître cette immense terre gelée, grande comme l'Europe et les États-Unis réunis. Tous savaient qu'ils auraient à vaincre des obstacles géants par rapport aux capacités de l'homme. Ils voulaient être les premiers à accomplir la traversée du plus grand désert blanc du globe. Ils étaient cependant loin d'imaginer que ce rêve mis en route à leur petite échelle allait se transformer en une énorme organisation : il fallut deux ans de préparation intensive pour mettre sur pied un projet aussi périlleux.

Leur objectif était de parcourir 6300 km en 6 ou 7 mois. Ils prévoyaient de transporter leur matériel sur trois traîneaux tirés chacun par douze chiens. Ils auraient voulu prévoir des possibilités de ravitaillement en cours de route mais il leur fallut bien vite comprendre qu'après quelques centaines de mètres à l'intérieur des terres, il n'y avait plus de vie et que leur principale préoccupation serait de pouvoir subsister en autonomie pendant six mois.

Ils avaient tous les six des motivations différentes, mais ils avaient en commun la fierté de participer à une grande première et le désir de vivre intensément une aventure exceptionnelle.

Durant ces six mois, la moyenne des températures se situait entre – 20° et – 40° : il neigeait abondamment sur cette immensité sillonnée de crevasses qu'il fallait éviter à tout prix, alors que la plupart du temps il était impossible de les deviner tant elles étaient enfouies sous la neige ; et surtout il fallait tenir, tenir bon. Jean-Louis Étienne, le chef de l'expédition avait à cœur de soutenir le moral de chacun de ses coéquipiers. Leurs efforts, sans cesse contrecarrés par des vents violents, avaient pour exigence de parcourir à peu près 45 km par jour et de manger juste ce qu'il fallait pour ne pas épuiser leurs provisions. Il semblait que les chiens eux-mêmes aient eu à cœur de tenir bon comme s'ils avaient compris la finalité des efforts de toute l'équipe.

Le 12 mars 1990, le pari est gagné. Les 6000 km sont franchis. Tous sont fiers d'avoir ajouté un maillon de plus à la chaîne de l'audace et de la conquête d'un sol jamais foulé. Ils pleurent de joie en rencontrant une équipe soviétique venue à leur rencontre et partagent avec eux leur premier vrai repas depuis six mois. L'expédition est finie. Dans l'avion qui le ramène à Paris, Jean-Louis Étienne rêve de repartir naviguer sur les océans polaires, de suivre les migrations de baleines et de faire découvrir à d'autres, ces régions qui sont pour lui le sommet de la conquête humaine. Il repartira quelques années plus tard, en solitaire total cette fois-ci.

Repérage

Qui est Jean-Louis Étienne ?
Quels sont ses buts ? Ses objectifs ?
Était-il seul ?

Exploitation

Souligner dans ce texte les différentes manières d'exprimer le but. Dresser une liste des substantifs utilisés et essayer de les utiliser dans d'autres contextes.
Dresser une liste des expressions utilisées.

2 Les outils grammaticaux

A – Règle générale

Les expressions du but sont toujours suivies du subjonctif ou de l'infinitif.

Ex. : Je lui ai prêté mon stylo **pour qu'il puisse** écrire une carte postale.
Je leur ai téléphoné **pour les inviter** à dîner demain soir.

B – Les locutions

1. Voici les locutions les plus courantes que vous connaissez déjà

afin que — afin que… ne pas…
de crainte que — de crainte que… ne pas…
de peur que — de peur que… ne pas…
Pour que — Pour que… ne pas…

2. Voici d'autres locutions conjonctives ou prépositives dont le maniement est plus délicat. Étudiez attentivement les exemples donnés.

Avec l'idée de + infinitif: Il a agi ainsi avec l'idée de ne pas nuire à son voisin.
Avec l'intention de + infinitif: Il a agi ainsi avec l'intention de rendre service à son voisin.
Dans le but de + infinitif: Il a fait tout ce travail dans le seul but d'aider son voisin.
Dans le dessein de + infinitif: Il a agi dans le dessein de ne pas nuire à son voisin.
Dans le souci de: Il a téléphoné avant de venir dans le souci de ne pas nous déranger.
Dans l'intention de + infinitif: Il a agi ainsi dans l'intention d'aider son voisin.
De crainte de + infinitif: Il a téléphoné avant de venir de crainte de nous déranger.
De crainte que + subjonctif: Il a téléphoné avant de venir de crainte que nous ne soyons absents.
De façon à: Il a téléphoné avant de venir de façon à ne pas nous déranger.
De façon que + subjonctif: Il a payé avec sa carte de crédit de façon que son compte ne soit pas débité ce mois-ci.
De peur de + infinitif: Il a sonné de peur de se faire mordre par le chien.
De peur que + subjonctif: Il a sonné avant d'entrer de peur que le chien ne le morde.
De sorte que + subjonctif: Il a sonné avant d'entrer de sorte que le chien ne le morde pas.
En vue de + infinitif: Il travaille en vue de réussir son examen.
En vue de + nom: Il travaille en vue de sa réussite.
Pour + infinitif (ou subjonctif): Il travaille pour avoir un bon diplôme. Il travaille pour que ses enfants puissent faire de bonnes études.
Pour + nom: Il travaille pour son examen.

3. Autres possibilités

Impératif + pour que + subjonctif:
Ex.: Mettez un bon bonnet de laine à vos enfants pour qu'ils ne prennent pas froid.
(après l'impératif d'un verbe de mouvement on peut supprimer « pour »):
Ex.: Venez que je vous apprenne une bonne nouvelle.

Proposition relative + subjonctif:
Ex.: Je cherche une maison qui soit bien ensoleillée et qui ait une grande terrasse sur laquelle on puisse planter des arbres.

Utilisation de verbes qui indiquent un but, une recherche, un souhait, une attente:
Ex.: Je voudrais connaître votre point de vue.
Je préférerais que vous me donniez une réponse plus ferme et définitive.
J'attends que mon mari soit guéri pour faire des projets.

3 Les outils lexicaux

1. Quelques substantifs

L'ambition (nuance affective; sentiment d'orgueil sous-entendu): Son ambition était d'arriver le premier au sommet.

L'arrière-pensée (but non avouable): En allant le voir j'avais l'arrière-pensée de lui demander de me prêter de l'argent.

L'aspiration (but élevé): Sa plus grande aspiration était de venir en aide aux plus démunis.

Le but: Mon but essentiel actuellement est de finir mes études.

Un caprice: Maintenant elle veut un manteau de vison: c'est son nouveau caprice.

La convoitise (désir d'appropriation): Il y avait longtemps qu'il convoitait l'honneur d'hériter du château de ses ancêtres.

Le dada (langage familier; but qui devient de l'obsession): Il veut absolument que j'apprenne à jouer aux échecs; c'est son dada; il m'en reparle chaque fois que je le vois.

Le dessein (langage soutenu): En écrivant *Les Misérables*, Victor Hugo avait le dessein d'attirer l'attention du public sur la misère des pauvres.

La fin (souvent employé au pluriel): Elle est arrivée à ses fins: épouser un homme très riche.

La finalité (but philosophique ou moral): La finalité des entretiens diplomatiques pendant toute une semaine a été l'instauration de la paix entre les nations belligérantes.

L'idée: Il est parti en Normandie avec l'idée d'acheter une petite maison dans cette région.

Une lubie (but capricieux et déraisonnable): De temps en temps il prend des lubies inattendues; mais je n'y attache pas d'importance; cela passe très vite.

Une manie (un but qui devient une habitude souvent mauvaise): Il a une manie: il se lave quatre fois les mains avant de déjeuner tant il a peur des microbes.

Une marotte (but qui devient une habitude voulue): Il a la marotte des mots croisés.

L'objectif (le but est très précis): Mon objectif est d'être reçu premier à l'agrégation.

L'objet (le but est inanimé): Voici quel est l'objet de ma visite.

Un penchant (le but devient progressivement irrésistible): Il a un penchant certain pour la bonne bouteille.

Une pente (but mauvais irrésistible): Il boit de plus en plus d'alcool; il est sur la mauvaise pente.

Un plan: Il avait élaboré un plan très précis en vue du financement de ses acquisitions.

Un projet (but que l'on souhaite atteindre): Le projet de tout alpiniste français est d'arriver à atteindre le sommet du mont Blanc.

Une propension (but qui devient une tendance naturelle) : Il avait une propension à la bienveillance.

Un propos : « Au cours de cette conférence, mon propos est de mieux vous faire connaître les problèmes de politique intérieure qui se posent à notre gouvernement. »

Un rêve (but irréel) : Mon rêve serait de passer un hiver aux Antilles.

Une soif : Il avait une grande soif d'honneurs et de décorations.

Une tendance (un but qui est une orientation) : Les tendances de la mode cette année consistent à mettre en valeur le corps de la femme.

Une tocade ou toquade (but vif mais passager) : Il a une véritable toquade pour cette femme ; mais cela lui passera ; dans quelques semaines il n'y pensera même plus.

Une visée (souvent employé au pluriel) : Ses visées essentielles étaient de gagner beaucoup d'argent.

2. Les verbes ou les expressions verbales

Les verbes qui marquent une idée d'effort pour atteindre le but souhaité :
s'acharner à ; s'appliquer à ; s'attacher à ; s'efforcer de ; s'employer à ; s'évertuer à ; s'ingénier à ; tâcher de ; tenter de ; travailler à, etc.

Les verbes qui indiquent un but clair et précis :
ambitionner de + inf. ; aspirer à + nom ; briguer + nom ; convoiter + nom ; faire en sorte que ; faire l'impossible pour + inf. ; faire tout son possible pour + inf. ; se faire fort de + inf. ; se proposer de + inf. ; postuler pour + nom ; poursuivre + nom ; prétendre à + nom ; réclamer + nom ; rêver de + inf. ; revendiquer + inf. ; solliciter + nom ; viser à + inf.

4 Pour communiquer

a) Finissez à votre gré les phrases suivantes :

1. Un Japonais qui vient passer une semaine en France a pour objectif de ....
2. Un moine a pour aspiration ....
3. Le penchant d'un ivrogne c'est ....
4. Quand on conduit une voiture la préoccupation essentielle est de ....
5. Le projet d'un père de famille pour ses enfants est de ....
6. La marotte d'un philatéliste est de ....
7. L'ambition d'un champion de ski consiste à ....
8. Les desseins d'un cambrioleur sont ....
9. Les visées d'un sous-directeur sont de ....
10. Dans quel but apprenez-vous le français ?

b) Réaliser ses objectifs

Voici un certain nombre d'objectifs. Pour les atteindre, il faut savoir employer les moyens. « Qui veut la fin, veut les moyens » dit un proverbe français. Exprimer ces moyens. Variez le plus possible les structures de vos phrases.

Ex. : Gagner de l'argent

Quand on veut gagner de l'argent, il faut savoir ne pas regarder à sa peine.

1. Avoir une bonne situation. — 2. Apporter une aide aux pays pauvres. — 3. Savoir comprendre les autres. — 4. Passer une soirée au théâtre. — 5. Ne pas perdre de vue ses amis éloignés. — 6. Habiter dans un quartier chic. — 7. Être élégant. — 8. Passer les concours des Grandes Écoles. — 9. Devenir député. — 10. Être un homme célèbre.

5 Exercices écrits

1 Expression du but ; de peur que... ; de peur de... Subjonctif ou infinitif ? Terminez les phrases suivantes avec le temps qui convient.

1. Il avait mis un gros cadenas à son vélo de peur que .... — 2. En voyage les touristes tiennent leur sac serré sur la poitrine de peur de .... — 3. Les mamans inscrivent leurs enfants à toutes sortes d'activités le mercredi de peur que .... — 4. Il a emporté beaucoup de livres en vacances de peur de .... — 5. Il ne dit plus rien à sa mère de peur que .... — 6. Il a verrouillé toutes les portes de peur de .... — 7. Quand ses enfants sont dans la voiture, il prend davantage de précautions de peur que .... — 8. Quand je conduis, je me concentre sur ce que je fais de peur de ....

2 Écrivez une seule phrase avec un pronom relatif suivi du subjonctif afin de signifier un but.

Ex. : Je cherche des chaussures/Elles doivent être élégantes.
Je cherche des chaussures qui soient élégantes.

1. Je voudrais prendre une assurance/Elle me permettra de toucher une bonne indemnité le jour où j'aurai un accident.
2. Elle cherche un appartement/Il devra avoir trois pièces et être exposé au soleil.
3. Je voudrais faire un voyage enrichissant/Je voudrais qu'il m'apprenne beaucoup de choses nouvelles sur une culture que je ne connais pas.
4. Il veut une nouvelle situation/Il veut qu'elle soit bien rémunérée/Il veut qu'elle soit dans la région parisienne.
5. Un publiciste veut trouver un slogan accrocheur/Il sera simple et il reviendra à l'esprit des consommateurs au moment de leurs achats.
6. Les députés de l'opposition veulent déposer une loi de censure/Leur projet est que cette loi soit un avertissement pour le gouvernement.

3 Les locutions de but

Remplacez les pointillés par une locution choisie dans la liste suivante : afin de ; afin que ; de façon à ; de sorte que ; de peur de ; de peur que ; en vue de ; pour.

1. Il travaillait son violon pendant des heures .... se présenter à un concours international. — 2. Il a acheté un costume très élégant .... sa cérémonie de mariage. — 3. Je me suis rendu à la mairie .... de reprendre mon dossier. — 4. Je vous écris .... vous soyez au courant de la situation. — 5. Elle voulait passer son permis de conduire .... ne plus utiliser les transports en commun. — 6. Il n'osait pas se présenter à l'examen .... d'échouer. — 7. Quand l'institutrice emmène les enfants dans le métro elle leur met à chacun un écriteau avec son nom autour du cou .... qu'ils ne se perdent pas. — 8. Les affiches électorales fleurissent sur tous les murs .... des élections prochaines. — 9. Il a envoyé une lettre recommandée avec accusé de réception .... on ne puisse pas lui reprocher de ne pas avoir écrit. — 10. Elle n'a pas pris de médicaments .... avoir une allergie. — 11. Les agriculteurs ont modifié leur système d'arrosage .... que la sécheresse ne sévisse pas cet été.

4 Réunissez en une seule phrase les éléments suivants en employant des locutions conjonctives de votre choix sauf « pour ».

Ex. : Je travaille beaucoup/Mon but est de réussir un concours.
Je travaille beaucoup de manière à réussir mon concours.

1. Je me dépêche/Mon but est de porter mon courrier à la poste avant la levée. — 2. Je parle beaucoup avec mes enfants/Mon but est de partager avec eux ce qu'ils vivent. — 3. Le gouvernement vient de proposer de nouvelles lois/Son but est d'aider les demandeurs d'emploi. — 4. Le syndic vient de réaliser un cahier des charges/Son but est que les locataires connaissent leurs obligations et leurs droits. — 5. L'architecte a présenté un projet/Son but est que la municipalité puisse construire un stade de sport. — 6. Il a implanté des bureaux dans la zone commerciale/Son but est que cela lui procure une clientèle de passage. — 7. Les écologistes veulent gagner aux prochaines élections/Leur but est de proposer des mesures pour assainir notre environnement. — 8. Il a aidé son fils tant qu'il a pu/Son but était de le valoriser au maximum.

5 Exercice lexical : remplacez les pointillés par le substantif qui convient choisi dans la liste suivante : but, dessein, détermination, fin, intention, mission, objectif, opiniâtreté, raison, résolution, rêve.

1. Elle cherchait à réaliser le .... de sa vie : avoir un poste de cadre supérieur. — 2. Un bon commerçant a toujours pour .... de satisfaire le client à tout prix. — 3. Tant que tu viseras un .... aussi chimérique, tu resteras toujours dans un rêve et non dans la réalité. — 4. Je n'arrive pas à comprendre les .... de ton chagrin. — 5. Il a pensé que nulle personne autre que vous ne saurait remplir cette ....

— 6. Toute son action ne tendait qu'à un seul ……… : la victoire. — 7. Elle avait pris la ……… de se taire chaque fois que son patron lui faisait une réflexion désobligeante. — 8. Il m'a fallu montrer de ……… pour finalement avoir accès à mon dossier. — 9. Elle est venue me voir avec une ……… très nette : me demander de l'argent. 10. Ils veulent déménager à seule ……… de s'éloigner de leur voisin gênant. — 11. Il m'a écrit dans l' ……… de me souhaiter mon anniversaire. — 12. Si on manque d' ……… la vie est monotone. — 13. Elle m'a annoncé ses projets avec une telle ……… que j'ai compris qu'il était inutile d'objecter quoi que ce soit.

6 Pour aller plus loin

1 « Pour ». But ? Ou cause ?

But : Il a travaillé tout l'été pour payer ses études à l'étranger.
Cause : L'enfant a été grondé pour avoir oublié d'apporter son stylo à l'école.

Dans les phrases suivantes, dites si « pour » indique une cause ou un but.

1. Il faut manger pour vivre et non vivre pour manger (Molière). — 2. Tu dois faire l'impossible pour avoir un rendez-vous avec un médecin avant la fin de la semaine. — 3. Elle a tout tenté pour obtenir un poste à l'hôpital. — 4. On admirait Louis XIV pour son élégance et sa civilité. — 5. La boulangerie est fermée pour cause de grève du personnel. — 6. Je ne vous dirai qu'un mot : merci pour tout. — 7. Elle a changé de trottoir dès qu'elle l'a vu pour ne pas avoir à lui dire bonjour. — 8. Le médecin a finalement été mis en cause pour non-assistance de personne en danger. — 9. Il faut travailler pour gagner sa vie. — 10. Il a été condamné pour vol et escroquerie.

2 L'intentionnalité

Remplacez les pointillés par une expression d'intentionnalité choisie dans la liste suivante : dans l'espoir de ; dans l'espoir que ; dans l'idée de ; dans l'intention de ; dans l'intention que ; dans le souci de ; histoire de ; question de.

1. Il a fait tout ce qu'il a pu ……… de réconcilier ses parents. — 2. Il a élevé ses enfants ……… de leur faire poursuivre des études avancées. — 3. Il a amélioré les conditions de travail de ses ouvriers ……… d'améliorer leur rendement. — 4. Je suis venu te voir ……… de te parler. — 5. Il a réuni ses enfants ……… de resserrer les liens entre eux. — 6. Je vais lancer la conversation sur le sujet qui le contrarie, ……… voir comment il va réagir. — 7. Il s'est comporté avec politesse ……… d'éducation ! — 8. Il a fait construire une grande maison ……… de pouvoir réunir ses amis.

3 Travail lexical : essayez de donner une définition des mots suivants qui comportent tous une idée de but. Introduisez-les ensuite dans une situation de votre choix.

1. Un arriviste. — 2. Un démagogue. — 3. Un « jeune loup ». — 4. Un fonceur. — 5. Un utopiste. — 6. Un rêveur. — 7. Un idéaliste. — 8. Un prétentieux. — 9. Un vantard. — 10. Un homme opiniâtre.

7 Travaux pratiques

1 Production écrite

a) Vous voulez faire un voyage culturel dans une région de France de votre choix. Vous vous adressez par lettre à une agence de tourisme en précisant ce que vous voulez visiter, les dates que vous envisagez, le nombre de personnes qui participeront à ce voyage et leurs motivations (aspect historique, archéologique, écologique, gastronomique, littéraire, folklorique etc.).

b) Vous avez envie de travailler dans une entreprise qui n'a cependant fait aucune offre d'emploi. Vous écrivez une lettre de candidature spontanée. Vous devez préciser avec conviction vos motivations, vos prétentions et vos buts.

2 Jeux de rôles

a) Vous êtes journaliste. Vous travaillez pour un magazine qui vous a chargé de faire l'interview d'un chanteur. Vous lui posez des questions sur ses projets, ses intentions futures, ses visées, etc.

b) Vous avez un (une) ami(e) qui adopte un comportement avec vous (ou avec quelqu'un d'autre) que vous ne comprenez pas. Vous lui posez des questions sur ses intentions en utilisant de préférence les expressions suivantes :

– Je ne comprends pas à quel jeu tu joues ?

....

– À quoi veux-tu en venir ?

....

– Qu'est-ce que tu as dans la tête ?

....

– Qu'est-ce que tu mijotes ?

....

– Quel est ton but ?

....

Texte

LES VISÉES D'UN PRÉSIDENT DE LA RÉPUBLIQUE

Le président Mitterrand, comme tous les présidents, rêvait de laisser à la France des traces importantes de son double septennat. Il voulait qu'après lui tous les Français de toutes les générations futures se rappellent son œuvre afin que son nom reste à la postérité comme celui d'un bâtisseur.

Dans un premier temps il a réalisé les grands projets conçus par son prédécesseur, entre autres La Villette et le musée d'Orsay. Mais il a entrepris bien d'autres projets.

Dans le domaine de l'art, il fallait à la France, au centre même de Paris, un musée qui soit le plus grand et le plus riche du monde. Le musée du Louvre existait mais tant d'œuvres étaient encore dans les réserves qu'il fallait à tout prix l'agrandir; ce ne fut pas chose aisée car le ministère des Finances occupait une partie importante des bâtiments du Louvre. Le premier objectif fut donc d'envisager à Bercy la construction de nouveaux bâtiments pour abriter le ministère des Finances, puis ensuite d'agrandir le musée. Il fallut de longues années d'un travail incessant pour arriver à la réalisation de ces travaux. Et enfin, par tranches successives, le Grand Louvre put enfin ouvrir ses portes aux millions de visiteurs qui, ébahis, découvraient entre autres le château de Philippe Auguste mis à jour par les fouilles entreprises lors de la construction de la Pyramide. L'ensemble de la réalisation de ces grands projets dura à peu près sept ans.

Cependant François Mitterrand avait encore d'autres visées. La Bibliothèque nationale de la rue de Richelieu devenait trop petite. Les lecteurs, venus souvent du monde entier, avaient de la peine à trouver de la place. Ils devaient venir faire la queue bien avant l'heure d'ouverture et devaient retenir à l'avance les ouvrages demandés afin de ne pas les attendre plusieurs heures. Des dispositions nouvelles s'imposaient; c'est alors que François Mitterrand conçut un autre grand projet: la construction d'une nouvelle Bibliothèque nationale dans le 13e arrondissement de Paris. Il voulait qu'elle soit la plus grande et la plus moderne du monde. Pari hautement difficile car au même moment l'UNESCO venait de prendre en charge la reprise de la bibliothèque d'Alexandrie dans l'idée d'en faire une bibliothèque qui soit un modèle de communication avec le monde entier. Par ailleurs Chicago et Londres semblaient avoir des visées semblables et donc concurrentes. François Mitterrand affirma rapidement son dessein sans ambiguïté: « Je veux une bibliothèque qui puisse prendre en compte toutes les données du savoir dans toutes les disciplines et surtout qui puisse communiquer ce savoir à l'ensemble de ceux qui cherchent, de ceux qui étudient, de ceux qui ont besoin d'apprendre, toutes les universités, les lycées, tous les chercheurs qui doivent trouver un appareil moderne, informatisé et avoir immédiatement le renseignement qu'ils cherchent. On pourra connecter cette bibliothèque nationale avec l'ensemble des grandes universités d'Europe et nous aurons alors un instrument de recherche et de travail qui sera incomparable. J'en ai l'ambition et je le ferai. » Quelques années plus tard, au bord de la Seine, la Bibliothèque nationale François Mitterrand ouvrait ses superbes portes dans un ensemble architectural d'une grande modernité au centre de quatre tours en forme de livres éternellement ouverts.

Questionnaire

De quels projets est-il question dans ce texte? Citez-en cinq.
Avez-vous vu ces constructions?
Relevez dans ce texte les diverses expressions du but que vous y rencontrerez.

Discussion

Si vous aviez des responsabilités, quels sont les projets à réaliser qui vous semblerez prioritaires? (contentez-vous de choisir un seul domaine).

L'expression de l'ordre, de la volonté, du commandement

1 Texte de sensibilisation

Collège Nicolas Boileau

Vous venez d'entrer au collège Nicolas Boileau. Nous vous souhaitons la bienvenue. Toutefois dans l'intérêt de tous et afin d'éviter certains malentendus, nous vous communiquons le règlement du collège.

1 – Les élèves doivent se présenter au collège d'une manière décente.
Pour les garçons, les boucles d'oreilles et les cheveux longs non attachés ne sont pas acceptés.
Pour les filles, un maquillage léger n'est admis qu'en classe de troisième.

2 – Toute absence nécessite d'être motivée le jour même. Pour un seul jour d'absence, un mot des parents peut suffire ; au-delà de deux jours un certificat médical sera exigé.

3 – Les retards ne sont pas admis. Un élève qui arrive alors que les autres élèves sont déjà en classe aura l'obligation d'aller en permanence.

4 – Il est interdit de fumer dans l'enceinte de l'établissement. Il n'est pas permis de manger et boire dans les salles de classe. Une cafétéria est prévue à cet effet.

5 – On conseille aux élèves de ne pas avoir sur eux une somme d'argent supérieure à huit euros.

6 – Les vêtements de sports devront être marqués au nom de l'élève ; il est réglementaire de les laisser dans les casiers prévus à cet effet.

7 – Pour le bien-être de tous, on vous demande de ne rien jeter à terre dans la cour de récréation.

8 – Le collège se verra dans l'obligation d'exiger un remboursement total et immédiat pour toute détérioration de matériel.

9 – Les livres que vous utilisez appartiennent au collège. Nous vous recommandons vivement de les couvrir, de ne rien écrire dessus et de les manipuler avec soin.

10 – Afin que l'enseignement soit assuré dans les meilleures conditions, il est indispensable que chacun respecte celui qui est en face de lui, qu'il soit enseignant, membre du personnel administratif ou élève.

Repérage

Quels sont les ordres donnés ?
À qui s'adressent-ils ?
Relevez dans ce texte dix manières différentes d'exprimer des ordres.
Relevez deux verbes qui atténuent la force de l'ordre donné.

A – L'expression de la volonté

1. Les outils grammaticaux

Règle générale : tous les verbes qui expriment un ordre ou une volonté sont suivis du subjonctif (ou de l'infinitif)

Ex. : Je veux que tu fasses ce travail.
Il faut que l'élève fasse ce travail.
Il faut que nous fassions ce travail. Il faut faire ce travail.

2. Les outils lexicaux

a) Quelques substantifs

Un grand nombre de mots peut exprimer toutes les nuances de la volonté. En voici les principaux utilisés dans le langage courant :

Un acharnement = volonté très forte dans la durée.
Une aspiration = mouvement de volonté vers un idéal.
Un caprice = volonté passagère peu raisonnée.
Une décision = le passage de la volonté à l'acte.
Une détermination = volonté résolue.
Un entêtement = volonté qui n'admet aucune remise en question (péjoratif).
Une fantaisie = volonté passagère peu raisonnable.
Une initiative = volonté d'une personne qui est première à agir.
Une insistance = volonté qui se répète longuement.
Une intention = volonté qui n'est pas encore passée à l'acte.
Une lubie = volonté passagère et peu réfléchie.
L'intransigeance = volonté qui n'admet pas de concessions.
Une opiniâtreté = volonté qui s'obstine dans la durée.
Un parti = volonté qui marque une décision sans retour.
Une persévérance = volonté tenace dans le temps.
Un plan = volonté organisée.
Un projet = volonté par encore réalisée.
Une résolution = volonté définitive qui veut passer à l'acte.
La ténacité = volonté arrêtée ni par les obstacles ni par le temps.

Une velléité = volonté faible et souvent passagère qui n'aboutit pas.

Une vocation = volonté que l'on ressent comme un appel irrésistible.

b) Quelques adjectifs

Acharné : *un travail acharné* = dans lequel on met toute son ardeur.

Arbitraire (arbitrairement) : *une décision arbitraire* = qui dépend de la seule volonté de quelqu'un.

Arrêté : *une volonté arrêtée* = décidée d'aller jusqu'au bout.

Buté : *un esprit buté* = entêté dans son opinion que rien ne pourra infléchir (généralement péjoratif).

Catégorique (catégoriquement) : *un ordre catégorique* = qui n'admet pas la discussion.

Despotique : *une volonté despotique* = tyrannique.

Déterminé : *une volonté déterminée* = qui ne cédera sur rien.

Entêté : *un enfant entêté* = un enfant qui poursuit ses idées sans jamais entendre raison.

Entier : *un caractère entier* = un caractère qui n'admet aucune concession.

Entreprenant : *un homme entreprenant* = celui qui a une volonté bien nette et qui la suivra jusqu'au bout.

Intentionnel (intentionnellement) : *un retard intentionnel* = un retard qui est fait exprès, voulu.

Intransigeant : *une volonté intransigeante* = qui n'admet pas de concessions.

Involontaire : *une parole involontaire*

Opiniâtre : *un caractère opiniâtre* = qui va jusqu'au bout de sa volonté malgré les difficultés.

Péremptoire : *un ordre péremptoire* = qui n'admet pas la discussion.

Persévérant : *une volonté persévérante* = qui agit dans la durée.

Prémédité : *une réaction préméditée* = bien voulue à l'avance.

Systématique (systématiquement) : *un refus systématique* = qui refuse la moindre concession.

c) Quelques verbes ou expressions verbales

adopter le parti de ; avoir la ferme intention de ; avoir la ferme volonté de ; avoir l'idée de ; avoir l'intention de ; bâtir des projets ; décider de ; entreprendre de ; être disposé à ; exiger que ; insister pour ; nourrir le projet de ; persévérer à ; persister à ; préméditer de ; prendre la décision de ; prendre le parti de ; prétendre à ; projeter de ; tenir à ; s'acharner à ; s'entêter à ; se déterminer à ; s'obstiner à ; se résoudre à ; vouloir ; etc.

d) Quelques expressions invariables qui apportent une nuance dans l'expression de la volonté

À son gré = selon son bon plaisir.
À sa guise = selon son désir.
À tout prix = quoi qu'il puisse en coûter.
De bon cœur = avec plaisir.
De gaîté de cœur (s'emploie souvent à la forme négative) : Je ne l'ai pas fait de gaîté de cœur = je l'ai fait contre ma volonté, avec peine.
De gré ou de force = qu'on le veuille ou non.
Envers et contre tout = en dépit de l'opposition générale.
Exprès = avec une volonté bien précise.
Volontairement = de mon plein gré, sans être contraint.
Volontiers = sans me faire prier.

En français parlé ou plus familier

À la force des poignets (= je veux avec beaucoup d'efforts) : Elle a décroché son diplôme à la force des poignets.
Contre vents et marées (= je veux malgré de grosses difficultés) : Il a fini par atteindre son but contre vents et marées.
Comme il me chante (= je veux selon mon bon plaisir) : Je ferai ce que je voudrai, comme il me chantera. Je n'ai de conseils à recevoir de personne.
Coûte que coûte (= je veux à n'importe quel prix, sens propre et figuré) : Je réaliserai ce projet coûte que coûte.

B – L'expression de l'ordre et du commandement

1. Outils grammaticaux

L'ordre ou le commandement s'expriment :

– Dans les propositions indépendantes :
a) par l'impératif : viens ;
b) par le futur : tu viendras demain à huit heures ;
c) par le subjonctif : qu'il vienne ;
d) par le conditionnel : je voudrais une baguette de pain ;
e) par l'infinitif : ne pas fumer.

– Dans les propositions subordonnées :
Par « que » suivi du subjonctif ou par « de » suivi de l'infinitif.

Ex. : Je veux que tu viennes.
Il lui ordonne de venir.

2 Outils lexicaux

1. Substantifs

a) Quelques différentes nuances de l'ordre, du commandement

Un commandement : ordre impératif.
Une consigne : instruction sur ce que l'on doit faire dans un cas particulier.
Une directive : un ordre donné avec une certaine orientation.
Un impératif : une prescription d'ordre moral.
Une injonction : ordre très rigoureux.
Une instruction (souvent au pluriel) : explication verbale ou écrite sur la conduite à tenir dans un cas bien déterminé.
Une loi : règle obligatoire établie par une société donnée.
Une obligation : lien moral en vertu d'une loi ou d'un ordre moral ou idéologique.
Un ordre : acte par lequel une personne chargée d'une autorité manifeste sa volonté.
Un précepte : ordre dans le domaine de la morale ou de la religion.
Une prescription : ordre écrit (souvent par un médecin).
Une règle : une loi d'après une certaine convenance.
Un règlement : prescription ayant une valeur de loi.
Une sommation : ordre impératif qui entraînera des conséquences graves en cas de non-exécution.

b) Les différentes attitudes face aux ordres

La discipline, l'obéissance, la soumission.
La désobéissance, l'indiscipline, l'insoumission, l'opposition, la rébellion, la résistance, la révolte.

2. Verbes

Ordonner : appeler ; arrêter de ; dire de ; décider de ; décréter de ; demander que ; donner un ordre ; enjoindre ; exiger de ; imposer de ; intimer l'ordre de ; mettre en demeure de ; notifier ; ordonner de ; prescrire ; réclamer de ; sommer de.

Obéir : accepter de ; céder ; courber la tête ; être docile ; être sous le joug ; être sous les ordres de ; faire preuve de docilité ; observer (un règlement) ; obtempérer ; plier ; respecter (une consigne) ; s'incliner (devant un ordre) ; se conformer (à la loi) ; suivre (les consignes).
Dans la langue parlée ou plus familière : courber l'échine ; être au garde-à-vous avec le petit doigt sur la couture du pantalon ; faire le gros dos ; filer doux ; laisser passer l'orage ; obéir au doigt et à l'œil ; plier le dos ; se laisser conduire comme un veau à l'abattoir ; se laisser mener par le bout du nez.

Désobéir : contrer ; contrevenir ; désobéir ; enfreindre des ordres ; être indiscipliné ; être indocile ; ne pas accepter l'ordre de quelqu'un ; refuser ; regimber ; résister ; se buter ; se rebeller ; se rebiffer ; se révolter ; s'opposer ; transgresser.

3 Pour communiquer

1 Imaginez des ordres qui ont provoqué ces réponses

1. D'accord. — 2. Pourquoi moi et pas les autres? — 3. Éventuellement. ce n'est pas la mer à boire. — 4. C'est impossible. Autant chercher une aiguille dans une botte de foin. — 5. Bon! Mais il faudra s'accrocher! — 6. Je veux bien, mais je ne vois pas comment m'y prendre. — 7. Tes désirs sont des ordres! — 8. Mais tu te prends pour qui? — 9. Je n'ai aucune raison de t'obéir ainsi au doigt et à l'œil.

2 Différentes manières de donner des ordres
À votre avis, qui parle à qui?

1. J'exige que cette cour soit balayée sur-le-champ. — 2. Prenez vos cahiers de textes. — 3. Ne t'imagine pas que cette porte va se refermer toute seule. — 4. C'est vraiment si difficile que cela d'arriver à l'heure? — 5. Est-ce que tu verrais un inconvénient à reculer la date de nos vacances? — 6. Remplissez votre bon de commande et envoyez-le à l'adresse suivante. — 7. Arrête. Pitié pour les voisins. — 8. Saisissez votre code. — 9. Éteignez votre cigarette: il est interdit de fumer. — 10. Circulez!

4 Exercices écrits

1 Avec les données suivantes, exprimez des ordres.
Dans certains cas vous aurez à ajouter un verbe introducteur de votre choix. Son temps vous est donné entre parenthèses.

Ex.: Écrire aux grands-parents pour leur souhaiter de bonnes vacances (employer un conditionnel)
Je voudrais (je souhaiterais; il serait bien, etc.) que tu écrives à tes grands-parents pour leur souhaiter de bonnes vacances.

1. Venir me voir. (présent de l'indicatif) — 2. Aller porter une lettre à la poste pour moi. (conditionnel) — 3. S'asseoir un moment. (impératif) — 4. Proposer un verre d'apéritif. (trouver une formule polie pour proposer) — 5. Demander une baguette de pain au boulanger. (conditionnel) — 6. Venir vers 20 heures. (subjonctif) — 7. Demander son chemin à un passant. (conditionnel) — 8. Dire de se taire. (impératif)

2 Terminer les phrases suivantes à votre idée (attention aux différentes constructions des verbes et aux prépositions).

Ex.: Je suis déterminé à…
Je suis déterminé à prendre toutes les mesures nécessaires pour l'application de ce règlement.

1. Le président de la République a annoncé qu'il avait pris la décision de .... — 2. Nous avons fait le projet de .... — 3. Mon père est déterminé plus que jamais à .... — 4. L'employé de la bibliothèque a pris le parti de .... — 5. J'ai dans l'idée de .... — 6. Le nouveau parti politique a entrepris de .... — 7. Il s'est résolu à .... — 8. Nous insistons pour que .... — 9. Mon frère persiste à .... — 10. J'ai la ferme intention de ....

3 Utilisez les adverbes suivants dans des phrases de votre choix

1. De bon cœur. — 2. Volontiers. — 3. Contre mon (son) gré. — 4. De gaîté de cœur. — 5. Envers et contre tous. — 6. Contre vents et marées. — 7. Coûte que coûte. — 8. Sans plaisir. — 9. À tout prix. — 10. À votre guise.

4 Mettre les verbes à l'infinitif au temps qui convient

1. Ses parents veulent qu'il (aller) finir ses études dans une université américaine. — 2. La directrice du lycée exige que ses élèves (être disciplinés). — 3. Mon propriétaire m'a mis en demeure de (payer) mon loyer avant le 30 de ce mois. — 4. Il exige que ses enfants (être) toujours les premiers de leur classe. — 5. J'aurais souhaité que tu (venir) avec moi au cinéma. — 6. Il n'a pas osé demander que ses amis (venir) le voir à l'hôpital, mais il leur a fait comprendre que cela lui (faire) plaisir. — 7. Le chef de bureau entend que tous les dossiers (être rangés) quand les employés quittent le travail le soir. — 8. Je n'ai jamais dit que tu (devoir) partir mais que tu (devoir) te plier au règlement élémentaire de la vie en commun. — 9. Qu'il (venir) passer quelques jours à la maison si cela lui fait plaisir ! — 10. Il a exigé que nous (obtempérer) ou que nous (donner) notre démission.

5 Pour aller plus loin

1 Étude et approfondissement de l'expression « **il faut** » et de ses dérivés

Le français utilise souvent, en particulier dans la langue parlée, l'expression : « il faut » ou des formules qui dérivent de cette expression. On peut lui substituer nombre de formules plus élégantes. Nous vous donnons quelques exemples :

1. Dans cet établissement, il faut un professeur pour l'enseignement du FLE. Dans cette phrase ; « il faut » = « il manque ». On écrira : « *il manque* un professeur... ».
2. Il me faut un cachet d'aspirine/*J'ai besoin* d'un cachet d'aspirine.
3. Il faut mettre sa main devant sa bouche lorsqu'on baille/*Il est poli de...*
4. Il est en retard : il faut qu'il ait eu un grave empêchement/*Il a dû avoir...*
5. En France il faut rouler à droite/*Il est obligatoire de...*
6. Je n'avais qu'une petite valise et il faut que je l'oublie !/*Ce n'était rien et je n'ai même pas été capable* de ne pas l'oublier !
7. Peu s'en est fallu que les deux gamins ne se battent dangereusement tant ils étaient énervés l'un et l'autre/*Ils ont failli* se battre dangereusement...

Remplacez « il faut » ou ses dérivés par une expression plus précise

1. Il faut absolument que j'aille chez le médecin rapidement. — 2. En hiver, il faut aller chercher le soleil dans une île lointaine loin de la neige et des brouillards. — 3. Dans un bus il faut laisser sa place à une personne âgée. — 4. Il faut que toutes les parts soient égales. — 5. Il faut prendre un parapluie quand il pleut fort. — 6. Il s'en faut d'un point pour qu'il soit admissible. — 7. Faut-il prendre un billet pour entrer ? — 8. Quand on a bu de l'alcool, il faut ralentir sa vitesse au volant. — 9. Il faut souhaiter l'anniversaire de ton amie. — 10. Il faut manger des vitamines.

2 Exercice lexical : quel verbe convient à ces situations ? Choisissez dans la liste suivante.

Ex. : Bon. Cela ne me fait pas plaisir de discuter. Après tout, fais ce que tu veux. Tu verras bien ce qui s'ensuivra = céder.

Accepter ; céder ; fermer les yeux ; mettre en demeure ; obéir ; obtempérer ; plier ; refuser ; se rebeller ; respecter (un règlement) ; transgresser.

1. C'est entendu. Vous aurez votre augmentation de salaire. — 2. Fais ce que tu veux. Je ne veux pas le savoir. — 3. Cela ne me plaît pas mais je suis obligé d'obéir tout de suite. — 4. Si votre loyer n'est pas payé à la fin du mois, vous serez mis à la porte. — 5. Hélas ! Je dois dire oui. — 6. Je n'accepterai jamais de dire oui. — 7. Eh bien d'accord ! Fais ce que tu veux ! — 8. D'accord. — 9. Non et non. — 10. C'est interdit mais je le fais quand même. — 11. Puisque c'est le règlement, je ne vois pas pourquoi je ne le ferai pas.

6 Travaux pratiques

1 Jeu de rôle

a) Vous êtes P.-D.G. d'une entreprise.

Vous avez à donner des consignes à un de vos subordonnés qui est cadre supérieur. C'est un monsieur qui a un grand sens des responsabilités, mais qui n'aime pas recevoir des ordres. Vous êtes cependant obligé de lui transmettre des instructions pour une mission précise. Vous prenez des ménagements (en français familier on dirait : « vous prenez des gants »).

Imaginez un dialogue en utilisant les éléments suivants (ou d'autres à votre convenance).

– Demain il faudra être à Orly à 7 heures du matin.

– Vous avez un rendez-vous à 9 heures à Marseille chez un de nos meilleurs fournisseurs pour passer un contrat d'achat de matériel électronique avec lui.

– Vous lui demanderez de baisser ses prix.

– Il vous proposera un petit pourcentage de remise.

– Vous lui ferez comprendre que ce n'est pas suffisant et que vous avez de meilleures conditions chez un autre fournisseur.

– Vous ferez descendre plus bas.

– Vous irez jusqu'au point où vous sentirez qu'il ne va plus accepter de vous vendre son matériel.

– À ce niveau vous accepterez.

– Vous lui demanderez alors des conditions intéressantes de paiements étagés.

– S'il n'accepte pas vous ferez des concessions.

– Débrouillez-vous mais je veux que vous reveniez avec un contrat avantageux pour nous dans la poche.

b) Vous êtes père de famille

Écrivez un petit dialogue puis mimez-le à deux.

– Le père demande à son fils (11 ans) d'éteindre l'électricité car il est tard. Il faut qu'il arrête de lire dans son lit et qu'il s'endorme.

– L'enfant demande à lire encore.

– Le père dit qu'il a déjà beaucoup attendu pour le faire éteindre et qu'il est très tard.

– L'enfant insiste.

– Le père commence à se fâcher.

– L'enfant répond avec insolence.

– Le père réitère son ordre avec plus de fermeté encore.

– L'enfant persifle.

– Le père réagit fortement.

– L'enfant tient tête.

– Le père le prend très mal. Il éteint lui-même l'électricité et claque la porte en sortant.

Vous finissez maintenant l'histoire à votre façon.

Dossier 5

L'expression de la condition et de l'hypothèse

1 Texte de sensibilisation

Qui Laurence va-t-elle épouser ?

C'est la grande question que se pose toute la famille, ses sœurs en particulier. On se perd en conjectures et en hypothèses. Elle fréquente plusieurs garçons, ce qui ne facilite pas les pronostics. Tantôt on pense que ce sera ce jeune professeur qui partage avec elle sa passion pour la musique, tantôt on croit que ce pourrait être cet élève de l'École Centrale qui vient souvent à la maison, à moins que ce ne soit tout simplement son ami d'enfance qui depuis longtemps l'aurait déjà épousée si elle en avait manifesté la moindre intention.

– En supposant que ce soit lui, il faudrait qu'il fasse beaucoup d'efforts et de concessions pour supporter son caractère et ses désirs de luxe et d'indépendance !

– Oh oui, c'est certain, car si elle épousait un homme pointilleux et trop près de ses sous, il y aurait de fortes chances pour que cela ne dure pas très longtemps, à moins que l'amour ne fasse des miracles, ce qui est une éventualité que l'on peut tout de même envisager... sous réserve toutefois qu'elle soit vraiment amoureuse !

– En tous les cas, ce qui est certain, c'est qu'elle cache bien son jeu... ! Si elle savait que dans son dos nous échafaudons tant de suppositions, elle serait furieuse et s'enfermerait encore plus dans ses mystères.

– Eh bien moi, j'ai une autre idée et je ne me perds pas dans tant de suppositions sur les garçons qui viennent à la maison. Je parie qu'elle va épouser quelqu'un que nous n'avons encore jamais vu, et si nous ne l'avons jamais vu, c'est qu'il y a de bonnes raisons à cela. Évidemment c'est une pure hypothèse, mais une hypothèse plus fondée qu'elle n'en a l'air. J'ai cru comprendre que... nos interrogations ne partaient pas dans la bonne direction...

– Qui ? Qui donc ? Où le voit-elle ? Que fait-il dans la vie ? Réponds-nous. Si tu es si sûre de toi, c'est que tu es au courant de quelque chose, sinon tu n'y aurais même pas pensé. Tu soulèves une possibilité qui ne nous avait même pas effleuré l'esprit.

– Non, je ne dirai rien. Je n'ai pas l'habitude de répéter les secrets qu'il me semble découvrir, serait-ce même dans une bonne intention. Si vous voulez en savoir davantage, demandez-le à Laurence elle-même, en lui posant des questions déguisées. Si elle veut vous répondre, elle saisira l'occasion, sinon elle vous fera encore languir un certain temps.

– Et si on lui osait carrément la question ? Avec un peu de chance et de compréhension, elle nous répondrait sans doute, ce qui serait une bonne chose. En effet, en supposant qu'elle hésite à prendre une décision définitive toute seule, nous pourrions l'aider : à supposer évidemment qu'elle ait confiance en notre expérience et qu'elle comprenne que c'est par pure affection pour elle.

– J'émets deux hypothèses sur les raisons de son silence : soit elle pense que le garçon ne nous plaira pas pour une raison quelconque ; soit elle se rend compte qu'elle n'est pas assez amoureuse pour envisager les choses sérieusement.

– Alors il faut laisser faire le temps. Ou tout se clarifiera pour elle : donc ce sera une bonne chose ; ou au contraire elle comprendra qu'elle ne veut pas passer sa vie avec ce garçon, alors tout cassera et elle n'aura pas à se justifier auprès de nous.

– Alors ne lui parlons de rien pour l'instant sinon nous risquerions de l'influencer dans un sens ou dans un autre et ce serait trop grave. Il y a des domaines où seuls les intéressés peuvent prendre leurs propres décisions. Laissons mûrir tout cela et attendons sans impatience ni curiosité qu'elle nous en parle elle-même en temps voulu.

Repérage

Qui est Laurence ?
Qui parle d'elle ?
Quel est l'objet de leurs conversations ?
Quelles sont les hypothèses que l'on fait à son sujet ?
Combien de prétendants lui prête-t-on ?
Dans ce texte, soulignez toutes les expressions de l'hypothèse et de la supposition que vous rencontrerez.

2 Les outils grammaticaux

1. Les structures de base avec « si »

Avec « si » trois structures sont possibles :
a) Si + présent + futur : *s'il fait beau, j'irai me promener.*
b) Si + imparfait + conditionnel présent : *s'il faisait beau, j'irais me promener.*
c) Si + plus-que-parfait + conditionnel passé : *s'il avait fait beau, je serais allé me promener.*

2. La double hypothèse

Lorsqu'on veut exprimer deux hypothèses dans la même phrase, la première se met à l'indicatif et la seconde, introduite par « que », au subjonctif.

Ex. : Si tu es malade et que tu aies besoin d'un bon médecin, je te donnerai l'adresse du mien.

3. Autres manières d'exprimer la condition

Remplacement de « si » par le gérondif : Si tu passes me voir demain, tu me feras plaisir. = En passant me voir demain, tu me feras plaisir.

Remplacement de « si » par « que + subjonctif » (idée de menace) : Qu'il s'avise de m'injurier, et il aura de mes nouvelles !

Remplacement de « si » par « impératif + et + futur » : Mange moins et tu grossiras moins. = Si tu manges moins…

Utilisation des prépositions « à », « à condition de », « à moins de », « de », « sans » suivies de l'infinitif.

Ex. : À croire tout ce que tu dis sur ton ami, on pourrait imaginer qu'il est complètement idiot.
À condition de faire tout ce qu'il veut, on ne se dispute jamais avec lui.
À moins de m'être trompé, je crois que mes calculs sont bons.
De te savoir malade à l'autre bout du monde me peinerait beaucoup.
Sans avoir son bac, il est difficile de trouver une situation en France à notre époque.

3 Les outils lexicaux

1. Quelques substantifs

Une alternative = un choix entre deux possibilités.

Une circonstance = une particularité qui accompagne un événement.

Une clause = une condition particulière d'un acte, indispensable pour qu'il puisse se réaliser.

Une condition = un fait dont l'existence est indispensable pour qu'un autre fait puisse exister.

Une conjecture = une hypothèse, une supposition (ne pas confondre avec conjoncture qui signifie situation).

Une éventualité = une possibilité.

Une exigence = une condition indispensable à la réalisation d'un événement.

Une formalité = une condition légale indispensable pour qu'un acte puisse être valable.

Une hypothèse = une supposition.

Une modalité = une condition, une disposition légale.

Une possibilité = une condition dont la réalisation peut s'envisager.

Une probabilité = une condition dont la réalisation est fondée sur des raisons sérieuses.

Une stipulation = une précision donnée dans une condition (surtout dans un contrat écrit).

Une supposition = une hypothèse.

Un ultimatum = une dernière condition avant l'accomplissement d'un événement grave.

2. Quelques verbes

Deviner = émettre une hypothèse par intuition.
Imaginer = émettre une simple hypothèse.
Présager = émettre une hypothèse non précise.
Pressentir = émettre une hypothèse vague basée sur un sentiment intérieur.
Présumer = émettre une hypothèse qui a des chances de se réaliser.
Prévoir = construire des plans en vue d'une hypothèse précise
Pronostiquer = émettre une hypothèse après une étude préalable.
Se douter que = émettre une hypothèse avec de fortes raisons de penser qu'elle va se réaliser.
Soupçonner = émettre une hypothèse en se basant sur des indices.
Subodorer = émettre une hypothèse basée sur une intuition.
Suspecter = émettre une hypothèse basée sur des indices réels.
Supposer = émettre une simple hypothèse.

3. Quelques mots invariables

À moins de: Nous viendrons vous voir à moins d'un imprévu.
Sous réserve de: Je t'informe de cette nouvelle, évidemment sous réserve d'une erreur.
Si: Nous pouvons sortir ensemble si tu en as le temps.

N.B.: « si » peut avoir différents sens qui ne sont pas forcément ceux de la condition exclusivement. Avec une nuance supplémentaire à la condition, « si » peut exprimer aussi:
a) **La détermination**: S'il pleut, j'irai quand même me promener sous la pluie.
b) **La déduction**: S'il était vraiment amoureux, il ne resterait pas trois mois sans donner signe de vie.
c) **L'excuse**: Si j'avais plus de temps, j'irais beaucoup plus souvent au cinéma.
d) **La certitude**: Si je mets ma lettre avant la levée de 18 heures elle arrivera demain.
e) **La justification**: Si je l'ai injurié, c'est qu'il avait d'abord commencé à m'injurier lui-même (dans ce cas, on ajoute souvent « c'est que »...).
f) **La recommandation**: Si tu ne prends pas tes médicaments régulièrement, tu vas tomber malade.
g) **La reconnaissance**: Si tu ne m'avais pas aidé, je n'aurais jamais pu déménager ces livres tout seul.
h) **Le regret**: Si tu étais venu me voir, tu m'aurais fait plaisir.
i) **Le reproche**: Si tu continues à rouler à 160 à l'heure, je ne monterai plus en voiture avec toi.
j) **Le souhait**: S'il faisait beau demain, j'irais bien me promener au soleil.
k) **La manière**: Si tu dors huit heures par nuit, tu seras moins nerveux.

Le sens de « si » (condition) peut être renforcé par un nom ou un adverbe :

Si par hasard : Si par hasard tu passes devant la poste, rends-moi le service de me prendre un carnet de timbres.

Si jamais : Si jamais tu gagnais à la Loterie nationale, tu pourrais t'acheter une voiture.

Si par bonheur : Si par bonheur tu gagnais à la Loterie nationale…

Si par malchance : Si par malchance il m'arrivait un accident, il faudrait tout de suite prévenir mes parents.

Si seulement : Si seulement tu avais posé ta candidature aux élections, tu aurais peut-être eu une petite chance.

Sinon : Je vous demande de tenir compte de mes propositions sinon je ne m'occupe plus de vous aider.

Même si : Même si j'avais la possibilité de m'acheter un manteau de vison je ne le ferais pas car je serais gênée d'avoir tant d'argent sur mon dos.

4. Les autres locutions

À + l'infinitif : À le croire, il serait le plus malheureux du monde.

À condition de + infinitif : À condition de prendre des précautions élémentaires, on peut très bien soigner quelqu'un qui a la grippe sans l'attraper soi-même.

À condition que + subjonctif : À condition que tu me rendes ma voiture avant la fin de la semaine, je peux te la prêter facilement.

À supposer que + subjonctif : À supposer que le délai d'inscription ne soit pas dépassé, on peut encore essayer de l'inscrire à un camp de vacances.

Au cas où + conditionnel : Au cas où je serais en retard, commencez à dîner sans moi.

Dans le cas où + conditionnel : Dans le cas où vous seriez sans argent, on pourrait vous en prêter.

Dans l'hypothèse où + conditionnel : Dans l'hypothèse où il y aurait une grève de la SNCF lundi prochain, je ne pourrais pas me rendre à Paris.

En cas de + nom : En cas d'incendie, précipitez-vous sur les extincteurs.

En supposant que + subjonctif : En supposant que vous ne connaissiez absolument personne, je pourrais vous donner l'adresse de mes amis.

Faute de quoi : Il faut que tu te fasses inscrire sur les listes électorales avant le 31 décembre, faute de quoi tu ne pourrais pas voter.

Pour autant que + subjonctif : J'irai la voir à l'hôpital, pour autant qu'elle soit en état de me recevoir.

Pourvu que + subjonctif : Pourvu que vous ayez de l'argent, vous pourrez toujours passer de bonnes vacances.

Pour peu que + subjonctif : Pour peu qu'il ait de l'argent dans les mains, il le dépense instantanément.

Que + subjonctif (sens de menace) : Qu'il vienne et il verra comment je vais le recevoir.
Quitte à + infinitif : Je vais déposer une plainte contre mes voisins, quitte à me fâcher avec eux définitivement.
Si ce n'était + nom : Si ce n'était mon état de santé, j'aimerais participer à ce voyage.
Si tant est + subjonctif : Il pourrait avoir une bien meilleure situation si tant est qu'il veuille s'en donner la peine.
Soit que… soit que… + subjonctif : De toutes façons on se reverra, soit que nous allions chez vous soit que vous veniez chez nous.
Suivant que + indicatif : Suivant ce que tu me diras, je viendrai samedi ou dimanche.

4 Pour communiquer

1 Répondez par une seule phrase aux questions suivantes

1. Qu'auriez-vous fait si vous n'aviez pas entrepris des études de français ?
2. Que feriez-vous si on vous annonçait tout d'un coup que vous avez une maladie incurable ?
3. Que feriez-vous si vous deviez rester immobilisé 40 jours avec une jambe cassée ?
4. Que feriez-vous si on vous disait que vous avez trois mois de vacances devant vous avec un budget confortable ?
5. Si on vous disait de faire un court métrage sur un des aspects amusants de la vie française et qu'on vous mette une caméra dans les mains, quel type de film aimeriez-vous faire ?

2 Faites une seule phrase avec deux sujets, deux négations et l'utilisation de si + plus-que-parfait + conditionnel passé

Ex. : Si les parents n'avaient pas été sévères en temps voulu, les enfants n'auraient pas fait de bonnes études par la suite.

1. Les Japonais/être performants en informatique/les pays européens/passer des contrats avec eux.
2. Mes cousins/être accueillants/je/être à mon aise chez eux.
3. Ma femme/avoir des goûts de luxe/je/avoir besoin de tant travailler.
4. Les Français/être fiers de leur cuisine/les restaurants parisiens aux États-Unis/faire fortune.
5. Des Parisiens courageux/avoir caché pendant la Révolution des documents importants/la Bibliothèque nationale/avoir la richesse d'archives qu'elle possède maintenant.

5 Exercices écrits

1 Remplacez les pointillés par la locution qui convient, choisie dans la liste suivante : à condition de, à condition que, au cas où, dans le cas où, pourvu que, si.

1. Vous arriverez dans trois heures environ .... de n'avoir aucun incident de route et de rouler à 130 tout le long de l'autoroute. — 2. Je puis vous accompagner .... cela ne vous ennuie pas. — 3. Les enfants peuvent jouer au salon .... ils fassent très attention aux bibelots chinois auxquels je tiens particulièrement. — 4. .... vous acceptiez cette proposition il me semble que vous feriez une bêtise. — 5. .... je ne serais pas là, tu n'aurais qu'à glisser un petit message écrit sous le paillasson. — 6. Je respecte les convictions des autres .... ils me laissent avoir les miennes. — 7. Tu aurais des chances de bien réussir .... que tu acceptes de travailler un peu plus ! — 8. .... tu aurais l'intention d'aller au cinéma ce soir, nous pourrions y aller ensemble. — 9. .... il ne répondrait pas au téléphone, rappelez un peu plus tard quand il sera rentré. — 10. .... vous n'ayez pas de sac à main ou en bandoulière vous pouvez sans crainte aller la nuit dans ce quartier de Paris.

2 Même exercice avec les locutions suivantes : à condition de, à condition que, à moins de, à moins que, avec, pour peu que, selon, si.

1. .... j'avais su, je ne me serais pas dérangé. — 2. .... vous ayez un peu d'argent, vous pouvez vous offrir de nombreux divertissements. — 3. Tu peux avoir le premier prix .... un peu de chance. — 4. .... que tu partes de bonne heure demain matin, tu peux arriver le soir même. — 5. .... être le dernier des imbéciles, n'importe qui peut fabriquer une table avec une planche et des tréteaux. — 6. Tu partageras mon point de vue .... tu aies un peu de bon sens et de raison. — 7. Nous pourrions nous retrouver dimanche .... vous veniez à la maison .... ce soit nous qui allions chez vous. — 8. .... d'ôter vos chaussures pleines de boue avant d'entrer, vous êtes les bienvenus chez nous. — 9. Nous partirons au ski samedi ou dimanche .... le temps qu'il fera. — 10. Il partira en vacances jeudi .... d'avoir les résultats de son examen.

3 Remplacez « si » par le gérondif

Ex. : Si tu consultais davantage ton dictionnaire, tu éviterais des fautes d'orthographe
En consultant davantage ton dictionnaire…

1. Si tu écrivais avec un bon stylo à plume, ton écriture serait beaucoup plus jolie que lorsque tu écris avec un crayon à bille. — 2. Si tu prends des photos à contre-jour, tu peux obtenir de bons résultats dans certains cas. — 3. Si on se couche de bonne heure, on est bien plus en forme le lendemain matin. — 4. Si vous faites du bruit, vous dérangez vos voisins. — 5. Si vous preniez tous les matins un grand verre de jus d'orange, vous vous porteriez mieux.

4 Remplacez « si » par « que » + subjonctif et terminez la phrase à votre gré pour qu'elle ait un sens de menace

Ex. : S'il a l'audace de me téléphoner, je lui dirai ce que je pense sans le ménager/Qu'il ait l'audace de me téléphoner et je lui dirai ce que je pense !

1. S'il veut me contrarier dans mes projets .... — 2. S'il s'avise de me critiquer .... — 3. S'il casse toute la vaisselle .... — 4. S'il met un pied chez moi .... — 5. S'il ose répéter ce que je lui ai dit en confidence .... — 6. S'il a l'audace de se présenter devant moi après tout ce qu'il m'a fait .... — 7. S'il tente de me nuire ....

5 Utilisez l'infinitif précédé d'une des prépositions indiquées pour donner à la phrase un sens conditionnel

Ex. : (De) Si je te savais malade, cela me ferait du souci/De te savoir malade me ferait du souci.

1. (À) Si on l'écoutait il serait dans la misère. — 2. (De) Si je ne connaissais pas l'anglais, cela me gênerait beaucoup dans mes nombreux déplacements professionnels à l'étranger. — 3. (À condition de) Si on est debout de bon matin, on peut faire beaucoup de choses intéressantes dans une journée. — 4. (À moins de) Si je ne suis pas obligé de me déplacer la semaine prochaine, je pourrai aller au cinéma avec toi. — 5. (Sans) Si on n'a pas un minimum d'argent, la vie quotidienne peut devenir très dure. — 6. (De) Si je ne prends pas une bonne tasse de café le matin, j'ai mal à la tête toute la journée. — 7. (À) Si on lit ses lettres, on a l'impression qu'il n'a que des soucis. — 8. (À moins de) Si je n'ai pas la preuve du contraire, je dirais que c'est lui, le coupable. — 9. (Sans) Si on ne fait pas d'efforts pour apprendre une langue étrangère, on n'obtient pas les résultats souhaités. — 10. (De) Si je restais une journée entière sans lire, cela serait pour moi une véritable frustration.

6 Exercice lexical : remplacez les pointillés par le mot qui convient choisi dans la liste suivante : une clause, une condition, une conjecture, une hypothèse, une modalité, une prévision, une probabilité, un pronostic, une proposition, un ultimatum

1. Vous remplissez toutes les .... exigées pour être candidat à ce poste. — 2. Une des .... du contrat stipulait que nous devions participer aux frais de ravalement de l'immeuble. — 3. Quelles sont les .... météorologiques pour la semaine prochaine ? — 4. Le locataire a refusé toutes les .... de révision du contrat. — 5. Les joueurs du tiercé font des .... sur la valeur et les conditions physiques des chevaux. — 6. Le conservateur du musée s'est perdu en .... quand le tableau a été volé. — 7. Ce sont mes dernières ...., mon dernier mot. En quelque sorte un .... — 8. Dans l' .... où son mari viendrait à mourir le premier, elle irait habiter chez ses enfants.

6 Pour aller plus loin

1 « Si » : hypothèse ou condition ?

Dans les phrases suivantes : 1. Dites s'il s'agit d'une hypothèse ou d'une condition – 2. Remplacez « si » par une locution conjonctive de même sens en opérant les transformations nécessaires

Ex. : Je partirai en voyage si j'ai des vacances (condition)/Au cas où j'aurai des vacances je partirai en voyage.
Si je dois être opéré un jour (hypothèse), je me ferai soigner à l'hôpital X/Dans l'hypothèse où je serais opéré un jour, je me ferais soigner à l'hôpital X.

1. Si tu vas chez un bouquiniste, tâche de me trouver un dictionnaire français-anglais à bon prix. — 2. Elle acceptera ce travail temporaire maintenant, si on lui promet un engagement définitif par la suite. — 3. Si je mets dix mille euros dans l'affaire, est-ce que vous pensez que ce sera suffisant pour éviter la faillite ? — 4. Si vous aviez envie de venir dimanche avec vos amis, on pourrait préparer un bon repas et passer une bonne journée ensemble. — 5. Si mon fils avait le courage de se présenter à un concours, il pourrait envisager de longues études supérieures. — 6. Si vous déménagiez dans un autre quartier, vous rencontreriez d'autres difficultés également. — 7. Je viendrai si mon mari est invité lui aussi. — 8. Le peintre n'accepte de venir faire les travaux que si on le paie à l'avance. — 9. Si j'acceptais le prix de votre devis, est-ce que vous me feriez une remise ? — 10. Si on invitait tous nos amis pour l'anniversaire de François, est-ce que nous aurions suffisamment de place dans l'appartement ?

2 Mémorisation de la structure « pour peu que » + subjonctif

Cette locution conjonctive, fréquemment utilisée, est toujours suivie du subjonctif. Elle exprime une hypothèse ou une condition de peu de valeur, presque insignifiante.

Ex. : Pour peu que ses frères aient l'air de se moquer d'elle, elle se met tout de suite à pleurer.
Pour peu que tu fasses encore quelques efforts, tu sauras vite nager.

Relier les phrases suivantes à l'aide de la locution « pour peu que »

1. Il se lève cinq minutes trop tard/Il est en retard à l'école. — 2. Il fait un petit travail/Il en parle pendant une semaine. — 3. Elle est intimidée/Elle fait des fautes de français. — 4. Dès qu'il a quatre sous, il les dépense instantanément. — 5. Il pleut/On a les pieds tout boueux et elle est furieuse qu'on salisse son carrelage blanc. — 6. J'ai des biscuits dans mon sac/Si j'ai un peu faim, j'en prends un tout de suite. — 7. Il gèle/Le sol devient glissant. — 8. Il y a un rayon de soleil/Elle met ses lunettes noires instantanément. — 9. Elle boit la moitié d'un verre de vin/Elle prend le fou rire à tout propos. — 10. Si quelques personnes fument dans une réunion/Il a mal au cœur tout de suite.

Mémorisation de la structure : si tant est + subjonctif

On emploie l'expression « si tant est » + que + subjonctif pour marquer une certaine incrédulité dans l'hypothèse.

Ex. : Je lui demanderai l'argent qu'elle me doit si par bonheur (ou par chance ou par hasard), elle le peut/Je lui demanderai de me rembourser l'argent qu'elle me doit si tant est qu'elle le puisse.

1. Il comprendra ce qu'il voudra si par extraordinaire il est capable de comprendre quelque chose. — 2. Il nous prêtera de l'argent si par miracle son compte n'est pas à découvert. — 3. Nous irons lui faire une petite visite si par chance elle en a le temps aujourd'hui. — 4. Les documents sont remis à la Bibliothèque nationale, si par un hasard incroyable il y en a encore de complètement inédits dans des collections privées. — 5. Nous ferons des brochettes à la grecque dimanche si jamais le temps revient au beau. — 6. On a demandé à Alexandre de faire un gros effort en fin de trimestre si par bonheur il veut bien en comprendre la nécessité. — 7. Il nous fournira des explications si par chance il est en veine de confidence à ce moment-là. — 8. Le médecin fera tout ce qu'il peut pour sauver le malade si par un heureux hasard il y a un médicament efficace pour cette maladie.

4 La double hypothèse : mettez les verbes entre parenthèses au temps convenable

Rappel : la première hypothèse entraîne un verbe à l'indicatif et la seconde un verbe au subjonctif.

Ex. : Si tu as de l'argent et que tu veuilles faire un voyage au Portugal, allons-y ensemble au printemps.

1. Si vous (vouloir) apprendre à jouer au bridge et que vous (avoir) un peu de temps, je vous informe qu'il y a des cours excellents le lundi soir. — 2. Si nous (avoir) du soleil pendant nos vacances et que nous (pouvoir) nous baigner tous les jours, nous reviendrions bronzés. — 3. Si tu (acheter) des souliers avec des talons trop hauts et que tu ne (pouvoir) faire un pas sans souffrir, cela ne sert à rien de faire cette dépense. — 4. Si tu (aller) à l'hôpital et que ton voisin de chambre (recevoir) beaucoup de visites, tu serais très incommodé par le bruit. — 5. Si tu (avoir) encore un peu de courage pour visiter Paris et que tu (vouloir) voir les illuminations des Champs-Élysées, je t'accompagnerai. — 6. Si tu (n'avoir lu) jamais rien sur la Révolution française et que tu (vouloir) commencer par un ouvrage détaillé, ce sera complexe à comprendre. — 7. Si nous (aller) lundi à la Fête du cinéma et que nous (avoir) le courage de voir trois films d'affilée, cela ne nous coûtera qu'une toute petite somme symbolique. — 8. Si je (vouloir) faire un album et que je (ne pas pouvoir) classer maintenant les photos de mon voyage, je confondrai tout dans quelque temps.

5 Avec deux hypothèses que l'on vous propose, faites une phrase complète en la finissant à votre choix

Ex. : Faire une collection de timbres/Avoir des doubles.
Si vous faites une collection de timbres et que vous ayez des doubles, nous pourrons faire des échanges.

1. Avoir faim/Aller dans un bon petit restaurant. — 2. Aimer les fleurs/Aller voir les parterres du Luxembourg. — 3. Vouloir connaître ma maison de campagne/Passer trois jours dans la verdure. — 4. Désirer apprendre à nager/Ne pas savoir vaincre sa peur. — 5. Faire un cadeau/Vouloir offrir quelque chose qui fasse plaisir. — 6. Faire un bon réveillon/Vouloir acheter du foie gras. — 7. Vouloir faire un beau voyage/Aller à New York. — 8. Vouloir aller à l'Opéra/Avoir quelques économies.

7 Travaux pratiques

1 Travaux écrits

– Rédigez un texte : « Si j'avais de l'argent... » continuez selon vos désirs.
– Rédigez une lettre à un ami pour lui exposer tous les avantages qu'il aurait, s'il partait avec vous sac au dos pour explorer le Midi de la France.

2 Jeu de rôle

Préparez un sketch puis mimez-le à deux avec les éléments suivants que vous pouvez modifier à votre gré :
Pierre et Michel regardent une belle moto japonaise sur le trottoir.
Ils ont envie de l'essayer.
Pierre propose d'aller faire un tour de cinq minutes seulement puis de la remettre à sa place.
Michel lui fait remarquer que c'est impossible : beaucoup de choses peuvent leur arriver.
Ils peuvent avoir un accident.
Ils peuvent se faire repérer par des passants.
Ils peuvent se faire arrêter par la police.
La police peut alerter leurs parents.
Les parents vont faire toute une histoire.
Personne ne voudra jamais croire qu'ils avaient l'intention de la reposer.
Pierre a réponse à toutes ces objections et les repousse systématiquement.
Et pour finir...

(Terminez le sketch à votre idée).

Débat

À votre avis quelle est l'aide la plus précieuse que les pays riches pourraient apporter aux pays défavorisés si vraiment le monde entier voulait s'unir dans cette lutte contre la pauvreté ?

Texte

Les conditions d'une classe de langue

Toutes les classes de langue ne s'annoncent pas de la même façon. Pour le professeur, une adaptation nouvelle s'impose chaque fois que son public se renouvelle.

Dès les premiers moments dans sa classe nouvelle, l'enseignant palpe naturellement l'atmosphère et s'y adapte.

Certaines sessions ne s'annoncent pas bien. Si dès la première prise de contact, les élèves sont butés, fermés, revêches, bloqués dans un silence pesant, il comprend rapidement que sa tâche sera lourde : il aura à s'investir beaucoup pour apporter sa spontanéité, son humour, sa simplicité afin de mettre à l'aise ses nouveaux étudiants. Il sait que s'il n'y parvient pas rapidement la classe sera ennuyeuse pour lui pendant des mois. Il sait aussi que si l'enseignant s'ennuie lui-même, les élèves ne peuvent que s'ennuyer eux aussi. Cela peut-être désespérant pour lui ; certains professeurs le vivent très mal. Il sait aussi qu'un certain nombre d'acquisitions bien ciblées devront quand même être transmises quelles que soient les conditions de la classe et les réactions des apprenants. Alors il n'y a qu'une seule solution qu'il doit se répéter intérieurement : « Investis-toi davantage et ta classe sera plus attrayante ! Apporte chaque jour du nouveau et tes élèves seront plus motivés. » Sans une participation totale de toute la richesse de la personnalité de l'enseignant, rien ne passera. C'est la condition indispensable. Arriver à réaliser cette condition demande une préparation intérieure : il faut être en bonne forme avec toutes les exigences personnelles et pratiques que cela représente. Par exemple, si l'enseignant n'a pas assez dormi, toute la classe aura envie de dormir et sortira avec une impression de lassitude et d'ennui qui fera barrage à toute acquisition nouvelle. Si l'enseignant n'est pas passionné par sa tâche et s'il n'apporte pas à ses élèves des marques visibles d'intérêt et d'enthousiasme pour le contenu de son enseignement, ceux-ci garderont un souvenir banal de leur cours.

Si au contraire dès les premières minutes le professeur perçoit une atmosphère joyeuse, sympathique, communicative, il sait que sa tâche sera facilitée. Lui-même sera plus à l'aise et sa classe sera évidemment plus conviviale. C'est toujours un plaisir d'enseigner dans une ambiance chaleureuse et attentive. Dans ce type de classe, on rencontre toujours des élèves qui aident à créer une atmosphère d'animation et le professeur peut les considérer comme des animateurs du groupe. Si par moments il apparaît nécessaire de les canaliser car ils occupent une place trop importante par rapport aux timides de la classe, ils restent toujours des traits d'union indispensables dans les rapports de communication enseignant-enseignés.

Dans une classe de langue, il est essentiel que chacun puisse s'exprimer. Si un étudiant sort d'une classe sans avoir pu parler, le but n'est pas atteint. Il faudra le lendemain lui accorder un temps de parole double. La classe de langue est toujours un lieu d'échange, d'enrichissement mutuel, de communication et par là même de convivialité. Une classe qui ne serait pas conviviale et joyeuse manquerait un de ses objectifs premiers.

Moments de la classe de langue définis chacun par un but précis, moments précieux, parcours indispensable. Le fonctionnement d'une langue à l'oral et à l'écrit réserve toujours mille surprises qui permettent d'avancer ensemble sur un chemin de découvertes quotidiennes toujours renouvelées. Cependant il faut jouer le jeu de la joie de la découverte. Si l'enseignant est blasé et que l'élève n'ait aucun goût pour la découverte, la classe sera terne et ennuyeuse. La classe est faite de ce que chacun apporte et pas seulement au niveau des connaissances. Il y a aussi un investissement de toute la personnalité entière de chacun, qui demeure un des éléments de fonctionnement indispensables.

Dans toutes les situations un respect mutuel des personnalités de chacun s'impose. Professeur et étudiants ont chacun des rôles bien précis qui doivent être définis dès le début. Chacun doit s'y tenir. C'est la condition *sine qua non*[1].

1. Dans ce texte, relevez les conditions de bon fonctionnement d'une classe de langue.
2. Qu'en pensez-vous ?
3. Trouvez-en d'autres.

1. Sans laquelle la chose est impossible.

L'expression de la comparaison

1 Texte de sensibilisation

La photo de classe

Une photo jaunie sur ma table : la photo de ma classe de terminale, un peu figée comme toutes les photos de classe ; pourtant un palmier, un parterre de géraniums et de grandes taches de soleil attestent que ce lycée n'est pas austère. C'est un lycée dans le sud de la France dans lequel les rapports entre les élèves et les maîtres sont faciles et souvent amicaux. Vingt-cinq jeunes filles à quelques jours du baccalauréat sont groupées autour de leur professeur de philosophie.

Mon regard le plus attendri va vers ma meilleure amie, celle dont le destin a été semblable au mien pendant de longues années. Toutes les deux nous avions une année d'avance sur les autres ; donc, nous étions les plus jeunes et les moins mûres de la classe. Alors que les autres étaient beaucoup plus sérieuses et beaucoup plus graves, nous, nous prenions bien souvent des fous rires inextinguibles pour la moindre petite chose. Comme elle, je n'aimais pas les matières scientifiques ; dans ces disciplines nous peinions autant l'une que l'autre ; mais, comme moi, elle était passionnée de philosophie et nous excellions à manier les idées avec lesquelles nous pensions véritablement pouvoir changer la face du monde. L'une et l'autre, nous aimions Bergson avec enthousiasme ; nous aimions en apprendre des passages par cœur et nous les redire à haute voix, de mémoire. Quand l'une avait fini de dire un paragraphe, l'autre prenait tout naturellement le début du paragraphe suivant et nous allions ainsi jusqu'au moment où nous éclations de rire toutes les deux. C'était à celle qui en saurait le plus ! Notre goût de la philosophie était commun ; nous étions d'autant plus proches que sa situation familiale était comparable à la mienne ; son père était gravement malade comme l'était le mien, sa mère travaillait ; elle avait deux frères du même âge que les miens, aussi taquins et moqueurs que l'étaient les miens ; nous parlions souvent à voix basse de nos inquiétudes et de nos anecdotes familiales. Elle aimait lire les mêmes livres que ceux que je lisais. L'une et l'autre nous les dévorions, puis nous nous les passions, heureuses de pouvoir discuter ensuite des mêmes problèmes ou des mêmes personnages. Sa gourmandise était comparable à la mienne : nous aimions, autant l'une que l'autre, sortir à la récréation pour aller acheter un croissant ou un chausson aux pommes qui valaient pour nous tous les gâteaux de la terre réunis.

Je regarde les autres compagnes : Mireille, plus grande que les autres qu'elle dominait largement d'une tête. Elle était extrêmement méthodique et consciencieuse. Ses cahiers de cours étaient des modèles de clarté et de précision. Contrairement aux autres, elle osait interrompre les cours pour exprimer une réticence ou un doute. Sa culture philosophique était largement plus étendue que celle de la plupart d'entre nous. Hélléniste, car ses parents étaient professeurs de grec, elle avait lu Platon, Aristote et les philosophes antiques. Elle était absolument imbattable sur tous ces auteurs dont elle admirait éperdument la pensée comme s'ils avaient été les seuls penseurs de la terre. À côté d'elle, Claude, une petite brune, têtue et opiniâtre. À l'encontre des autres, elle ne jurait que par Descartes et le philosophe Alain. Quand elle intervenait pendant la classe, son jugement était toujours clair et précis. Elle savait exprimer des idées que je n'aurais même jamais su concevoir. Elle demandait toujours davantage d'explications. Je l'admirais silencieusement, et comme elle était la meilleure de la classe, personne n'hésitait à aller lui demander un coup de main ou des explications sur des points plus ou moins compris.

On ne peut s'attarder sur chaque visage; depuis cette époque, plusieurs camarades n'ont jamais donné signe de vie; j'ai cependant gardé le contact avec bon nombre d'entre elles. Combien les destins de chacune ont été différents! Combien les chemins suivis ont été divergents! Combien chacune a eu un parcours autre que celui de ses condisciples! Et pourtant nous étions les mêmes filles au même âge, toutes aussi confiantes dans l'avenir les unes que les autres!

1. De quoi s'agit-il?
2. Qui est la personne qui parle?
3. Est-elle en classe de terminale?
4. Sur qui portent ses comparaisons?
5. Soulignez dans ce texte toutes les expressions de la comparaison puis relevez-les en les classant dans deux colonnes; une pour les procédés grammaticaux, une autre pour les procédés lexicaux.

2 Les outils grammaticaux

1. Règles générales

1. **Les verbes des propositions comparatives se mettent généralement à l'indicatif, mais la plupart du temps, ils ne sont pas répétés dans la deuxième partie de la comparaison.**

Ex. : Il est plus intelligent que son frère (ne l'est). Cette deuxième partie de la phrase est sous-entendue, donc non répétée...
Ses parents ont davantage de dynamisme que lui (n'en a).

2. **Les verbes des propositions comparatives peuvent se mettre au conditionnel s'ils expriment un fait éventuel, hypothétique.**

Ex. : Elle l'aime comme elle aimerait son frère.
Tu as chez nous plus de distractions que tu n'en aurais ailleurs.

2. Les trois degrés de la comparaison

a) Expression de la supériorité

D'autant plus… que… (implique souvent aussi une idée de cause; *cf.* dossier 1): Il a d'autant plus d'empressement à venir nous voir qu'il a très envie de connaître notre nouvel appartement.

Davantage + nom: Il a davantage de bagages que nous (n'en avons).

Davantage + verbe: Pour rentrer chez lui, il a davantage à marcher que nous.

Meilleur que: Le pain est meilleur chez ce boulanger que chez celui de la rue d'à côté.

Mieux que: Il sait mieux son code de la route que je ne sais le mien (ou en langage courant: il sait mieux son code de la route que moi).

Plus… de…: Il a plus de livres dans sa bibliothèque que je n'en ai.

Plus… que…: Il est plus petit que son frère.

Plus… plus…: Plus son professeur le gronde, plus il a peur d'aller à l'école.

b) Expression de l'égalité

Ainsi… que…: Mon père ainsi que ma mère étaient nés en 1938.

Aussi… que…: Il est aussi grand que son frère.

Au même titre que: Mes belles-filles sont reçues chez moi au même titre que mes filles.

Autant… autant…: Autant mon frère travaillait à l'école, autant je ne faisais rien.

Autant… de…: Tu as autant de chances que moi de réussir.

Autant… que…: Il lit autant que son frère.

Comme: Tu chantes comme une vraie cantatrice.

Comme pour: Il s'est levé tout d'un coup comme pour partir, puis il est revenu sur ses pas.

Comme quand (langue familière): Quand il prend trop de médicaments il se sent mal comme quand on a bu trop de vin.

Comme si: Il fait du sport comme s'il avait vingt ans.

De: Cette jeune fille a un sourire de madone.

De la même manière: Il marche de la même manière que son père au même âge.

De même que (+ nom): Le pot-au-feu doit cuire longuement à feu doux de même que bon nombre de plats savoureux de la cuisine française traditionnelle.

La même… que…: J'ai acheté la même marque de télévision que la précédente.

Le même: Il a le même profil que le tien.

Tel quel: Il faut prendre les gens tels qu'ils sont.

c) Expression de l'infériorité

D'autant moins que: En général il n'est jamais très bavard, mais aujourd'hui il a d'autant moins envie de parler qu'il a fortement mal à la gorge.

Moins de… que…: Ils ont moins d'argent que nous (n'en avons).

Moins… moins… : Moins il voit de monde, moins il a envie d'en voir.
Moindre : C'est un moindre mal.
Pire que… : La situation est pire que je ne le pensais.

3. L'expression de la progression dans la comparaison

a) La supériorité

– Chaque fois plus :
Avec un verbe : Il s'énerve chaque fois plus.
Avec un nom : Elle a chaque fois plus de succès.
Avec un adjectif : Tu es chaque fois plus belle.
Avec un adverbe : Il travaille chaque fois plus vite.

– De plus en plus :
Avec un verbe : Je l'aime de plus en plus.
Avec un nom : Nous avons de plus en plus faim.
Avec un adjectif : Il est de plus en plus gentil
Avec un adverbe : Il parle de plus en plus vite.

– Toujours plus :
Avec un verbe = davantage : Il travaille toujours plus ou il travaille davantage.
Avec un nom : Il a toujours plus de soucis.
Avec un adjectif : Tu es toujours plus belle.
Avec un adverbe : Elle travaille toujours plus vite.

b) L'infériorité
Les constructions sont les mêmes que pour la supériorité : chaque fois moins, de moins en moins, toujours moins que (ou de).

4. Les superlatifs

Le plus (le moins) + adjectif + de : C'est le plus drôle de tous.
Le plus (le moins) de + nom : C'est toi qui as le moins de soucis en ce moment.

5. Les superlatifs absolus

Bien + adjectif : Il est bien gentil.
Extrêmement + adjectif : Il est extrêmement riche.
Excessivement + adjectif : Il est excessivement aimable.
Très + adjectif : Il est très généreux.

Les superlatifs à la mode dans le langage courant sont nombreux : hyper, super, drôlement, etc. Il est hyper drôle ; drôlement génial ; c'est trop génial, etc.

3 Les outils lexicaux

1. Les principaux substantifs de la ressemblance

Une affinité (souvent au pluriel): Ces deux frères s'entendent très bien; ils ont beaucoup d'affinités l'un avec l'autre.

Un « alter ego »: C'est son alter ego (son autre moi). Expression qui vient du latin mais qu'on emploie bien dans le langage courant pour designer un très bon ami.

Une analogie: il y a une analogie entre ces deux maladies.

Un archétype: Les immeubles des grands boulevards parisiens sont les archétypes de la construction haussmannienne.

Un calque: Elle a fait un calque du dessin qui lui plaisait.

La conformité: La conformité de nos points de vue est surprenante.

Une contrefaçon: Ce n'est pas un sac à main de chez Lancel. C'est une contrefaçon à bon marché.

Une copie: Ce n'est pas le tableau authentique: c'est une bonne copie.

Une corrélation: Il y a une corrélation évidente entre les écrits de J.-J. Rousseau et l'avènement de la Révolution.

Une correspondance: Rimbaud voyait une correspondance entre les voyelles et les couleurs.

Un double: J'ai gardé le double de sa lettre au cas où il y aurait une contestation.

Un duplicata: Je voudrais le duplicata de mon extrait de naissance.

Un homonyme: « Sot » et « seau » sont des homonymes.

Un fac-similé: Par prudence on n'a pas exposé le document original, mais un fac-similé.

Une identification: Les adolescents ont besoin d'identification avec un héros qui leur sert de modèle.

Une identité: Je me félicite de l'identité de nos points de vue.

Une image: Amélie correspond tout à fait à l'image que je me fais de la femme.

Une imitation: Ce n'est pas du vison; c'est une imitation bien réussie.

Un jumeau (une jumelle): Deux frères ou sœurs nés le même jour.

Un modèle: Cette jeune femme a servi de modèle à Auguste Renoir.

Un pair: Il va être élu par ses pairs au Conseil de l'université.

La parité: L'euro a résolu le problème de la parité des monnaies européennes.

Un pastiche: Tous les poèmes qu'il écrit sont des pastiches très drôles de poèmes très connus.

Un plagiat: Cette page est le plagiat indiscutable d'une page de Balzac.

Une photocopie: Il faudra faire une photocopie de ce document.

Un prototype: Il a construit le prototype d'une voiture de course.

Un rapport: Il y a un rapport évident entre tous les peintres impressionnistes: la lumière.

Un rapprochement : On peut faire un rapprochement entre les événements qui ont précédé la Seconde Guerre mondiale et ceux que nous vivons actuellement.
Une réplique : Cette voiture est une réplique un peu modernisée de l'ancien modèle.
Une relation : On peut établir une relation entre les deux œuvres de ce même musicien.
Une similitude : Il y a des similitudes de caractères entre les deux frères.
Un simulacre : Louis XVI a été exécuté après un simulacre de jugement.
Un synonyme : Nous étudions aujourd'hui tous les synonymes du mot « ressemblance ».

2. Les principaux substantifs de la différence

Une antinomie : L'antinomie profonde entre ses convictions et ses actes est difficile à accepter…
Un antonyme : « Chaud » et « froid » sont des antonymes.
Une antithèse : Il y a une véritable antithèse entre ses théories philosophiques d'il y a vingt ans et celles de maintenant.
Une contradiction : Ceci est une contradiction (ou en contradiction) avec ce que tu viens de dire.
Un contraire : Le contraire d'« aimer » est « haïr ».
Une contrariété : Il a éprouvé une vive contrariété en apprenant ce contretemps.
Un contraste : Ce qui est beau dans ce tableau, c'est le contraste harmonieux entre les couleurs.
Un désaccord : Il est en désaccord total avec son employeur.
Un différend : Essayons de régler notre différend à l'amiable avant d'entamer une procédure longue et coûteuse.
Une discordance : Les couleurs de ce tableau sont discordantes et affreuses.
Une dissidence : Ils se sont séparés de leur communauté, de leur parti : ils ont fait dissidence.
Une distinction : Faisons une distinction entre les membres actifs de l'association et les simples adhérents.
Une divergence : Nous avons une telle divergence de points de vue que nous devons admettre que nous n'arriverons jamais à nous entendre.
La division : Il a semé la division dans sa famille.
Un écart : Les écarts de niveaux de vie sont tels dans la société actuelle qu'ils ne peuvent engendrer que des conflits.
Une incompatibilité : Ils se sont séparés pour incompatibilité de caractères.
Une variante : Il a relevé toutes les variantes entre le manuscrit original et la troisième édition.
Une variation : À partir d'un thème donné le musicien a improvisé des variations.

3. Les principaux verbes de la comparaison

Ressemblance : assimiler, comparer, confronter à, copier, dépasser, équivaloir à, être le portrait de, être le pendant de, faire la paire, faire mine de, faire semblant de, feindre de, identifier à, imiter, marcher sur les traces de, l'emporter sur, plagier, rapprocher de, reproduire, ressembler à, se conformer à, sembler, simuler, singer, surpasser, tenir de quelqu'un, etc.

Différence : diverger, se démarquer, se distinguer, s'opposer à, etc.

4. Les principaux adjectifs de la comparaison

Ressemblance : analogue, égal à, homogène, identique, pareil, proche de, ressemblant à, semblable, similaire, etc.

Différence : autre, changé, distinct, dissemblable, divergent, divers, diversifié, inégal, hétéroclite, méconnaissable, modifié, moindre, transformé, varié, etc.

5. Les principaux adverbes de la comparaison

À l'avenant, à l'instar de, aussi, autant, comme, de même que, pareillement, selon, semblablement, tout comme, etc.

4 Pour communiquer

1 Répondez aux questions suivantes

– Quelles sont les différences essentielles que vous découvrez entre les habitudes de votre pays d'origine et celles de la France ?
– Comparez la vie à Paris et la vie en province. Trouvez quelques différences.
– Si on vous donnait le choix entre une entrée gratuite au cinéma et une entrée gratuite au théâtre, laquelle choisiriez-vous ? Expliquez votre choix.
– Ressemblez-vous à vos parents ? auquel ? en quoi ? Quel est celui de vos frères (ou sœurs) avec lequel vous avez le plus d'affinités ?

2 Amusez-vous avec les comparaisons très parlantes de la langue française

Remplacez les pointillés par le mot qui convient choisi dans la liste suivante : chat, chien, chien et chat, baudet, feu, gant, larrons en foire, peste, pompier, porte de prison :

1. Il craint sa belle-mère comme le ……… — 2. Il a une vilaine écriture ; il écrit comme ……… — 3. Depuis leur procès ils sont comme ……… — 4. Ce costume vous va comme un ……… — 5. On le voit toujours avec une cigarette à la bouche ; il fume comme un ……… — 6. Ils s'entendent comme des ……… — 7. Elle est aimable comme ……… — 8. J'ai été malade comme un ……… — 9. Je suis revenu du marché chargé comme un ……… — 10. Quand je le rencontre dans la rue, je me sauve en essayant de l'éviter car je le crains comme la ………

Exercices écrits

1 Remplacez les pointillés par l'expression qui convient choisie dans la liste suivante : au même titre que, aussi que, autant... autant ; autant que, comme, comme si, davantage, de la même manière que, mieux que, moins de, plus que.

1. Il a vraiment travaillé .... qu'il a pu. — 2. La petite fille pleurait pour un bobo .... elle avait perdu père et mère. — 3. Il a été engagé dans cette entreprise .... que ses collègues car il n'y avait aucune raison de lui faire des faveurs. — 4. Pense .... aux autres et tu seras plus heureux ! — 5. Je fais faire des travaux matériels à mes fils .... que j'en fais faire à mes filles. — 6. Il écrit beaucoup .... la plupart de ses contemporains. — 7. .... j'aime me promener au soleil .... je déteste me promener dans le brouillard et la grisaille. — 8. Il réussit dans ses affaires .... que ses concurrents.

2 Remplacez les pointillés par une des expressions suivantes : chaque fois moins, chaque fois plus, de mal en pis, de mieux en mieux, de moins en moins, de plus en plus, moins de, toujours moins, toujours plus, un peu moins.

1. Il devient très paresseux. À force d'en faire .... tous les jours, il finira par se faire mettre à la porte de son entreprise. — 2. Valérie bâcle son travail au point qu'il est .... acceptable. — 3. Depuis hier mon malade a repris des forces et de l'appétit ; je suppose que maintenant il va aller .... chaque jour. — 4. À force de falsifier son vin et d'ajouter .... d'eau, le restaurateur a fini par se faire prendre. — 5. Maintenant qu'il prend de l'âge, il a .... de forces. — 6. Son patron lui en demande toujours .... Quand va-t-il cesser de le presser comme un citron ? — 7. Il perd son enthousiasme : chaque fois qu'il se remet à écrire son roman, il le fait avec .... d'ardeur : il n'y croit plus ! — 8. M. Martin va mourir ; j'ai eu de ses nouvelles par sa voisine. Il va .... Et on ne voit plus comment il pourrait guérir. — 9. À mesure que nous avancions vers le sud, il faisait .... chaud. — 10. Il me dit des choses désagréables chaque fois que je le vois ; aussi je lui parle .... afin de ne pas me laisser démolir.

3 Remplacez les mots en italiques par « comme si ». Attention aux changements de temps.

1. Le bébé s'est tu quand sa maman l'a bercé ; *il semble que* cela l'ait apaisé et rassuré. — 2. Cela sent mauvais dans cette pièce : *on dirait qu'*elle n'a pas été aérée depuis huit jours. — 3. Le chien m'a regardé avec colère et a sauté par-dessus la barrière quand je suis passé : *j'ai cru* qu'il voulait me mordre. — 4. Il m'a fait marcher dans la montagne pendant cinq heures : *il m'a semblé* qu'il voulait ma mort ! — 5. Il était menaçant. *On aurait dit qu'*il voulait terroriser la pauvre petite. — 6. Tu es ignorant. *On dirait que* tu n'as jamais fait d'études ! — 7. Elle a cru voir passer une ombre dans le jardin ; *elle a cru que* c'était un voleur qui essayait de rentrer. — 8. Les enfants participent très fort au spectacle de marionnettes ; *il semble que* pour eux la fiction soit devenue une réalité.

4 Exercice lexical : les comparaisons qui marquent une diminution par rapport au modèle connu.

Remplacez les pointillés par un adjectif de la liste suivante : abrégé, allégé, amaigri, diminué, incomplet, larvé, limité, mitigé, rapetissé, réduit, subalterne.

1. Il n'a pas trouvé un emploi de cadre ; il a dû se contenter d'un emploi de .... — 2. Quand elle est sortie de l'hôpital, elle paraissait très fatiguée et très .... — 3. L'enfant a eu la diphtérie, mais comme il était vacciné il n'en a eu qu'une forme très .... — 4. Dans toutes les grandes surfaces on trouve maintenant du beurre et des produits laitiers .... c'est-à-dire presque sans matière grasse. — 5. J'ai demandé le nouvel annuaire de téléphone, mais je l'ai choisi en format .... pour qu'il ne tienne pas trop de place. — 6. Je ne peux faire aucun projet : mon emploi du temps est .... aux horaires de mes enfants. — 7. On lit plus volontiers *Les Misérables* dans une édition .... que dans l'édition complète. — 8. Après deux attaques cérébrales, son intelligence était bien .... — 9. Il est fréquent, lorsqu'on retrouve un lieu familier dans l'enfance, de le revoir très .... par rapport à l'image qu'on n'en avait. — 10. Les années d'étude pour la licence ont été .... à deux ans. — 11. J'ai reçu un accueil .... ; je n'arrive pas à savoir si ma venue leur a fait plaisir ou non. — 12. On lui a donné de la morphine pour que sa douleur soit ....

6 Pour aller plus loin

1 Quelques expressions de la comparaison dans le langage courant. Comment comprenez-vous ces expressions ? Insérez-les dans un contexte de votre choix.

1. C'est bonnet blanc et blanc bonnet. — 2. C'est le portrait craché de son père. — 3. Les deux vases se font pendant de chaque côté de la cheminée. — 4. Appelez-le un voleur ou un escroc, c'est la même chose : ils sont de la même eau ! — 5. Ils se ressemblent comme deux gouttes d'eau. — 6. Ces deux-là s'entendent comme les deux doigts de la main. — 7. Nous sommes en vacances. Il fait beau, la mer est belle, tout est à l'avenant. — 8. Il voulait réussir tous ses concours à l'instar de son frère aîné. — 9. Je cherche ma chaussette depuis une heure ; je voudrais quand même retrouver la paire. — 10. Ces colonnes que vous voyez là sont en trompe-l'œil. — 11. Dès que les gens sont dans une foule, ils agissent souvent en moutons de Panurge.

2 Avec quels noms peut-on employer les adjectifs suivants qui signifient tous « l'excès » ? Insérez-les dans une phrase complète.

1. Abusif. — 2. Excessif. — 3. Exclusif. — 4. Démesuré. — 5. Disproportionné. — 6. Effréné. — 7. Exorbitant. — 8. Intolérable. — 9. Monstrueux. — 10. Surabondant.

3 Les comparaisons implicites

Les comparaisons implicites du langage parlé sont innombrables. Elles font appel à tout un patrimoine culturel sous-entendu mais compris de tous. Elles servent souvent à définir un caractère ou une situation.

Pouvez-vous définir des caractères d'après ces comparaisons ?

1. C'est un âne ! — 2. C'est une mante religieuse. — 3. C'est un mufle ! — 4. C'est un singe ! — 5. C'est un rapace. — 6. C'est une peau de vache ! — 7. C'est un chameau ! — 8. C'est un requin ! — 9. C'est une poule mouillée ! — 10. C'est un renard ! — 11. C'est le mouton à cinq pattes ! — 12. C'est un ours mal léché ! — 13. C'est une tête de linotte ! — 14. C'est un toutou fidèle ! — 15. C'est un bon saint-Bernard.

4 Les comparaisons du langage parlé qui font allusion à des fables de La Fontaine

Que signifie.

1. C'est la mouche du coche. — 2. C'est la grenouille qui veut se faire aussi grosse que le bœuf ! — 3. C'est la poule aux œufs d'or. — 4. Ce sont deux sœurs : l'une est cigale, l'autre est fourmi. — 5. C'est l'histoire du loup et de l'agneau. — 6. C'est Perrette ! — 7. C'est un couple, mais ils sont très différents : lui, c'est le lièvre et elle, la tortue. — 8. Le médecin Tant pis et le médecin Tant mieux. — 9. C'est le combat du pot de terre contre le pot de fer. — 10. C'est l'œil du maître ! — 11. C'est le chêne et le roseau. — 12. Moi, je suis le rat de ville et mon frère, c'est le rat des champs.

7 Travaux pratiques

1 Jeu de rôle

Vous êtes dans un magasin de vêtements et vous trouvez que tout est beaucoup plus cher qu'ailleurs. Vous l'exprimez au vendeur.

– Vous dites que vous avez vu le même article à moitié prix dans un autre magasin.
– Le vendeur vous dit que ce n'est pas possible.
– Vous maintenez votre position.
– Le vendeur vous dit que la qualité de ce qu'il vous montre est incomparable, etc.

Imaginez et mimez la conversation.

2 Travail écrit

– Comparer deux photos de la même personne.
– Vous écrivez à un ami pour lui apprendre que vous allez bientôt déménager. Vous comparez votre nouvel appartement à l'ancien pour lui expliquer pourquoi vous avez choisi de déménager.

8 Texte

HARMONIE DU SOIR

Ce poème de Baudelaire (1821-1867) est une sorte d'incantation religieuse adressée à une femme aimée. Les comparaisons y sont multiples, même si elles sont quelquefois discrètes.

Voici venir le temps où vibrant sur sa tige
Chaque fleur s'évapore ainsi qu'un encensoir.
Les sons et les parfums tournent dans l'air du soir.
Valse mélancolique et langoureux vertige.

Chaque fleur s'évapore ainsi qu'un encensoir :
Le violon frémit comme un cœur qu'on afflige ;
Valse mélancolique et langoureux vertige !
Le ciel est triste et beau comme un grand reposoir.

Le violon frémit comme un cœur qu'on afflige,
Un cœur tendre qui hait le néant vaste et noir !
Le ciel est triste et beau comme un grand reposoir ;
Le soleil s'est noyé dans son sang qui se fige.

Un cœur tendre, qui hait le néant vaste et noir.
Du passé lumineux recueille tout vestige !
Le soleil s'est noyé dans son sang qui se fige...
Ton souvenir en moi luit comme un ostensoir !

Repérage

Quel est le sujet de ce poème ?
À quel temps de l'année et de la journée peut-il se situer ?
Quel sentiment est exprimé ?

Inventaire

1. Soulignez toutes les formes grammaticales de comparaison dans ce poème.
2. Soulignez les comparaisons implicites sans structure grammaticale spécifique.
3. Quelles sont les images exprimées ? visuelles ? auditives ? olfactives ?
4. Ce poème vous paraît-il empreint de tristesse ? Quels sont les mots-clés qui le prouvent ?
5. Trouvez des mots qui font choc dans ce calme paysage.
6. Que pensez-vous de ces comparaisons ?
7. Relevez les mots qui font allusion à des sujets religieux. En connaissez-vous le sens ?

Dossier 7

L'expression de la concession, de l'opposition et de la restriction

Rappel de définitions

Il y a **concession** quand un obstacle s'oppose normalement à l'action principale mais ne parvient pas à l'empêcher : Bien qu'il ait eu un très grave accident de voiture, il n'a pas été blessé.

Il y a opposition quand l'action principale est totalement empêchée par un obstacle concret ou abstrait : Alors que je devais partir en voyage hier, toutes les compagnies aériennes étaient en grève ; j'ai dû rester.

Il y a restriction lorsqu'après une affirmation on émet une réserve, un doute ou un amoindrissement : Il sait tout faire sauf les travaux de bricolage.

1 Texte de sensibilisation

THEYS

Bien que son nom soit inconnu de la plupart des Français, il est un village dans les Alpes dauphinoises dont le nom fait éclore en mon âme des images de douceur et de beauté : Theys. Malgré les recherches qui ont été faites depuis longtemps, personne ne peut affirmer l'étymologie certaine de ce nom. Plusieurs hypothèses ont été avancées. Pour moi, il me plaît d'évoquer la racine grecque *theos* et par conséquent de le nommer à titre personnel « le village des dieux », quoi que puissent en penser des puristes plus avertis.

C'est un village de montagne, simple et vrai. Bien qu'il soit situé au pied des pistes de ski, les touristes ne le fréquentent guère. Alors que depuis bien longtemps plus personne ne vient chercher de l'eau à la fontaine, celle-ci, toute fleurie de géraniums, reste quand même au centre de la place du village ; le bruit joyeux de l'eau qui retombe en cascade est souvent couvert par les rires des enfants qui viennent tremper une main dans la vasque ou lancer un petit bateau. En faisant leurs courses, quelques femmes bavardent. Ce moment, si court soit-il, donne vie à la petite place.

Trois fois par jour, le clocher de l'église égrène encore les rythmes de l'Angelus sans que personne n'ait encore trouvé à se plaindre de réveils en carillon. Quelques glas isolés viennent régulièrement troubler le silence habituel des jours de semaine, ne serait-ce que pour rappeler à la population que l'on vit et que l'on meurt encore dans ce village apparemment si calme.

Les saisons ont beau se dérouler, la vie moderne a beau s'intensifier tout autour, le mouvement du village reste identique à ce qu'il était il y a quelques années. À la boulangerie, on s'arrête toujours ne serait-ce que pour sentir l'odeur des gros pains « bûcherons » à peine sortis du four. Le boulanger, si fatigué soit-il et quelle que soit l'heure de la fin de sa fournée, se tient toujours sur le pas de sa porte, pour échanger quelques propos avec les clients que sa femme sert dans le magasin.

Si la boulangerie reste un lieu hautement convivial, comme autrefois, en revanche l'épicerie en prenant une allure plus moderne est devenue plus anonyme. À la place de l'épicière ronde et souriante, se trouvent maintenant des piles de paniers en plastique rouge que chaque client saisit au passage en se refermant ensuite pendant tout le temps de ses achats dans son monde intérieur de besoins, de manques, et d'acquisitions rapides. Au lieu d'acheter comme il y a quelques années une belle laitue toute fraîche provenant du jardin voisin, il se contentera d'une salade calibrée roulée dans une feuille de plastique.

Si espacés que puissent être mes séjours dans ce village, je sais que ma maison lointaine plantée sur ses contreforts, vit pleinement, même en mon absence. Je sais que chaque printemps la comble de fleurs nouvelles, de chants d'oiseaux et de parfums encore inconnus. Le rosier qui grimpe le long de la façade grandit d'année en année et fleurit toujours lors de ma venue en été, ne serait-ce que pour me souhaiter la bienvenue après une longue route.

Pendant les nuits d'été, lorsque le ciel scintille de toutes ses constellations, lorsque l'ombre de la montagne se profile sur la blanche lumière de la lune et que seuls le cri de la chouette et la chanson des grillons troublent le silence des nuits étoilées, je pense que, quoi qu'il arrive, cette maison restera pour moi un havre de paix, de repos et de verdure. Devrais-je un jour m'en séparer, sa présence et sa vie resteraient gravées en moi et dans le cœur de mes amis les plus chers devenus chaque année les hôtes attendus groupés joyeusement à la veillée autour d'un bon feu dans la cheminée.

Repérage

De quoi s'agit-il ?
Qui parle ?
Où est ce village ?

Inventaire

Soulignez dans ce texte toutes les expressions qui marquent la concession, l'opposition, la restriction.

2 Les outils grammaticaux

1. Quelques locutions conjonctives

a) Pour la concession

Bien que + subj. : Bien qu'il soit malade, il est allé travailler.
Encore que + subj. : Je ne suis pas d'accord avec toi sur les généralités, encore que sur certains points de détail nous puissions trouver un terrain d'entente.
Quoique + subj. : Quoiqu'il fût malade, il est allé travailler.
Sans que + subj. : Sans qu'on lui ait rien demandé, il est allé ranger la cuisine.

Note : malgré que + subj. a longtemps été considéré comme une incorrection grammaticale. On le tolère maintenant.

b) Pour l'opposition

Alors que + ind. : Alors qu'on croyait qu'il était dans la misère, il a acheté plusieurs appartements.
Alors même que + ind. : Alors même que le gouvernement préparait un texte de loi en leur faveur, les grévistes dans la rue manifestaient contre le gouvernement.
Tandis que + ind. **(idée d'opposition dans le temps) :** Tandis que tu étais en vacances sur la plage, moi je travaillais dans mon bureau en plein mois de juillet.
Pendant que + ind. (idée d'opposition dans le temps) : Pendant que sa femme fait la vaisselle, il regarde la télévision.
Si + ind... (opposition sur la personne) : S'il est bon en maths, il est très faible en français.

c) Pour la restriction

On peut utiliser les mêmes locutions que pour la concession.

Ex. : J'ai beaucoup aimé ce livre, bien que certains passages m'aient ennuyé.

2. Autres outils grammaticaux spécifiques à la concession

a) Locutions à la fois adverbiales et conjonctives + subj.

Si + adj. + que : Si malade qu'il soit, il ne manque jamais son travail (on peut aussi dire : si malade soit-il...).
Quelque + adj. + que : Quelque malade qu'il soit...
Tout + adj. + que (peut être également suivi de l'indicatif) : Tout paresseux qu'il est (ou tout paresseux qu'il soit), il sait faire des efforts pour confectionner de la bonne cuisine.

b) Locutions pronominales + subj.

Où que : Où que tu ailles t'installer, ta décision de repartir à zéro sera bonne.
Qui que : Qui que vous soyez, vous êtes le bienvenu chez nous.
Quoi que : Quoi que tu fasses, je ne critiquerai jamais tes décisions.

Quel que : Quelles que soient tes difficultés, je chercherai toujours à t'aider dans la mesure de mes possibilités.

c) Même si + ind. (idée d'hypothèse) : Même s'il est dans son tort, il n'acceptera jamais de le reconnaître.

d) Avoir beau + infinitif (on exprime que l'obstacle à l'action ou à l'effort a été inutile) : J'ai beau faire des efforts pour mettre ma voiture en marche, je n'y arrive pas.

3. Les mots invariables

a) Pour la concession

Cependant : Il n'est pas riche, cependant il a offert un beau voyage à ses enfants.

Mais : Je comprends bien cette leçon mais je ne comprends pas le sens de toutes les explications.

Néanmoins : Mon appartement n'est pas très confortable, néanmoins je m'en accommode.

Or : Je me suis rendu à l'adresse indiquée ; or cette maison n'existe pas.

Quand même : Si on déjeunait ensemble dans un petit restaurant, ce serait quand même plus gai que de rester chacun dans son coin.

Au risque de : Au risque de tout perdre, il a voulu tenter sa chance une fois encore.

Au mépris de = nom (= sans tenir compte) : Au mépris du danger, il a voulu tenter une longue plongée sous-marine.

En dépit de = nom : En dépit de sa vieillesse et de ses infirmités, elle a toujours le sourire.

Malgré + nom : Malgré ses soucis actuels, il a pensé à me téléphoner pour mon anniversaire.

Toujours est-il : On n'a jamais su comment il était mort à la guerre ; toujours est-il qu'il n'est jamais revenu.

b) Pour l'opposition

– **Adverbes :**

Au contraire (oppose généralement une proposition affirmative à une proposition négative ou inversement) : L'enfant n'avait plus peur ; au contraire il s'est senti plein de courage quand sa maman est arrivée.

À l'opposé (oppose des situations éloignées) : Il y a des personnes âgées qui ne savent parler que de leurs maux ; à l'opposé il y en a d'autres qui s'intéressent à tout ce que font les jeunes.

En revanche (marque une opposition exprimée, en langage soutenu) : Le président de la République a été satisfait de voir que la majorité des Français avaient voté en faveur de son projet ; en revanche il a été péniblement surpris de voir que cette majorité avait été infime.

Inversement (oppose des situations contraires) : C'était un couple qui se complétait bien ; elle était souvent angoissée, inversement lui était toujours serein.

Par contre (relève plutôt de la langue familière) : J'ai bien aimé le film d'hier soir à la télévision ; par contre l'émission qui a suivi était stupide.

– **Prépositions :**

À la place de (idée de substitution) : Si j'étais à ta place, je n'agirais pas ainsi.

À l'encontre de (langage soutenu) : Trafiquer de la drogue allait à l'encontre de tous ses principes.

À l'inverse de : À l'inverse de mes enfants qui n'aiment que la musique techno, je préfère mille fois la musique classique.

Au lieu de : Au lieu de perdre ton temps devant la télévision, tu ferais mieux de faire tes devoirs.

Contrairement + nom : Contrairement aux résultats des sondages, c'est lui qui a été élu.

Contre + nom : Cette attitude va contre tous mes principes.

Face à (idée de comparaison) : Face à la montée de la violence urbaine, le gouvernement se sent bien démuni.

Loin de : Cette nouvelle amitié, loin de l'épanouir, l'a fait beaucoup souffrir.

c) Pour la restriction

À condition que : Je te prête de l'argent à condition que tu me le rendes dans trois jours.

À moins que : J'irai te voir demain à moins que tu me dises que cela te dérange.

Dans la limite de : L'entrée du concert est ouverte à tous dans la limite des places disponibles.

Encore que : J'ai bien aimé ce film, encore que certains passages m'aient paru bien ennuyeux.

En enlevant : Il a un bon salaire, mais en enlevant toutes les retenues, il a juste de quoi faire vivre sa famille.

En faisant abstraction : Tout va très bien en faisant abstraction de tout ce qui ne va pas !

Excepté : Tous les parents étaient venus écouter chanter leurs enfants, excepté mon père.

Moins : Je te dois quinze euros moins les cinq que je t'ai déjà rendus hier.

Ne serait-ce : Je voudrais bien te voir ce soir, ne serait-ce que quelques minutes.

Pas même : Je ne voudrais pas de ce vieux vélo, pas même gratuitement.

Sauf : Elle est passionnée par tout, sauf pour les matchs à la télévision.

Sauf si : Je n'y suis pour personne sauf si c'est Pierre qui m'appelle.

Seulement (avec un sens négatif) : Je suis parti sans avoir eu seulement le temps de boire un café.

Si + adj. + soit-il : Un moustique, si petit soit-il, peut vous agacer toute une nuit.

Si ce n'est : Je n'ai rien vu au théâtre si ce n'est la nuque et les cheveux du gros monsieur qui était devant moi.
Sous réserve de : J'irai à la campagne demain sous réserve qu'il ne fasse pas froid.
Tout au plus : C'est une voiture tout abîmée qui vaut tout au plus mille euros.

3 Quelques outils lexicaux

Les sentiments que provoque l'opposition :
L'animosité : Il éprouve toujours une certaine animosité à voir parader son frère.
L'antipathie : Il a toujours de l'antipathie pour ceux qui cherchent à se vanter.
L'aversion : Depuis leur divorce, ils n'ont plus qu'aversion l'un pour l'autre.
La contrariété : J'ai éprouvé une vive contrariété en voyant que le projet que j'avais proposé avait été jeté à la corbeille sans examen…
La haine : La haine fait du mal à celui qui l'éprouve et à celui qui en est l'objet.
L'hostilité : C'est un peuple qui depuis des siècles manifeste de l'hostilité à son pays voisin.
L'inimitié : Il y a une telle inimitié entre eux qu'il vaut mieux qu'ils ne se rencontrent jamais.
La malveillance : Avec un peu de malveillance, on peut prêter à n'importe qui de mauvaises intentions.
La répulsion : Il a une répulsion réelle pour les gens arrogants.
Le ressentiment : J'ai beau essayer d'oublier ce qu'il m'a dit, je ne peux m'empêcher d'éprouver du ressentiment envers lui.

4 Pour communiquer

1 Apporter une restriction à chacune des phrases suivantes en variant les tournures

Ex. : J'irai acheter le pain en rentrant… à moins que tu ne l'aies déjà pris.

1. Nous ferons un pique-nique dimanche… — 2. Le président sera réélu… — 3. Je vais payer beaucoup d'impôts l'année prochaine… — 4. La pollution sera un des plus gros soucis du XXIe siècle… — 5. Le festival de musique a été magnifique… — 6. Il est très bon en toutes les matières… — 7. J'aime beaucoup faire la cuisine… — 8. Les rivières vont déborder rapidement…

2 Ajouter des concessions aux phrases suivantes en variant les tournures

Ex. : Elle ne mange pas de gâteaux ; elle sait les confectionner. Bien qu'elle sache confectionner des gâteaux, elle n'en mange pas.

1. Il ne se presse jamais ; il arrive toujours en avance. — 2. Elle n'est pas mélomane ; elle va au concert. — 3. Il y a un beau soleil ; il fait très froid. — 4. C'est l'été ; il pleut.

— 5. Il n'aime pas veiller ; il est allé deux fois au cinéma cette semaine. — 6. Il a repeint son appartement ; il n'aime pas ce genre de travaux. — 7. Il n'aime pas prendre de médicaments ; il avale tous les matins un comprimé d'aspirine.

3 Marquer une nette opposition à l'intérieur des phrases suivantes. Variez les tournures.

Ex. : Les dons de la nature sont inégaux. Si les uns sont riches, en revanche beaucoup d'autres sont en dessous du seuil de la pauvreté.

1. La France connaît différents climats ; il pleut souvent en Bretagne ; il y beaucoup de soleil dans les régions méditerranéennes. — 2. La répartition des richesses est inégale ; les uns travaillent pour pouvoir manger ; les autres pour pouvoir s'offrir des loisirs. — 3. Les deux frères ont des caractères différents ; l'un est casanier ; l'autre ne pense qu'à voyager. — 4. Le boisement est différent selon les régions ; dans les Alpes poussent surtout des sapins ; sur le pourtour des côtes, ce sera des pins.

5 Exercices écrits

1 Remplacez les pointillés par la locution conjonctive ou l'expression qui convient

1. Il a pris le temps de lire le livre que je lui ai offert .... qu'il a très peu de temps libre. — 2. .... que je lui aie apporté des chocolats qu'il aime beaucoup, il n'a même pas été capable de me dire merci. — 3. On .... avoir vingt ans, on a aussi des soucis. — 4. Elle n'aime pas parler en public ; .... elle fait des conférences. — 5. .... qu'il a de petites ressources, il a donné des étrennes généreuses à son gardien d'immeuble. — 6. Mon fils a bien travaillé cette année .... qu'il ait souvent été malade. — 7. J'ai donné une pièce au garçon qui jouait de la guitare dans la rue, ... cela soit contre mes principes d'encourager la mendicité sur les lieux publics. — 8. Je ne suis pas d'accord avec toi .... que sur certains points tu n'aies pas tort. — 9. Il ne savait que se plaindre de ses petits soucis personnels .... qu'il avait tout pour être heureux. — 10. Est-ce que vous voulez du cognac ? .... que vous ne préfériez l'armagnac du pays ?

2 Mémorisation de la structure « avoir beau »

Le mot « beau » n'a aucun rapport ici avec son sens ordinaire de « beauté ». Il sert à insister sur une opposition en général assez forte. L'expression « avoir beau » est toujours suivie de l'infinitif directement sans préposition et peut se conjuguer à tous les temps de l'indicatif et au conditionnel présent. Il faut noter que l'expression « avoir beau » est suffisamment forte à elle seule pour pouvoir être utilisée sans une autre expression habituelle de l'opposition comme renfort.

Ex. : Le coureur a suivi un entraînement intensif. Pourtant il n'a pas été sélectionné/Le coureur a beau avoir suivi un entraînement intensif, il n'a pas été sélectionné.

1. Bien qu'elle ne sache pas nager, elle a sauté dans la piscine. — 2. La situation était périlleuse, mais j'ai gardé mon sang-froid. — 3. Il demandait une pièce avec insistance; pourtant personne ne prêtait attention à lui. — 4. Elle s'astreint à un régime; elle ne maigrit pas. — 5. Malgré ses échecs, elle était arrogante. — 6. J'ai été émue mais je suis restée impassible. — 7. M. Bernard a eu une promotion; cependant il est furieux car il doit changer de ville. — 8. J'ai exprimé mes réticences, mais personne n'en a tenu compte. — 9. Elle étrennait une toilette éblouissante ce soir-là; pourtant personne n'a fait attention à elle. — 10. Cette performance était magnifique; cependant il n'y a eu aucun écho dans la presse.

3 Mémorisation des expressions de la restriction.

Exprimez la restriction avec une expression convenable. Variez les tournures.

1. À l'entrée du théâtre on distribuait des places gratuites, évidemment .... des places disponibles. — 2. Elle téléphone à sa mère tous les soirs, ... que cinq minutes pour échanger les nouvelles du jour. — 3. Nous viendrons tous dîner chez vous samedi, ... Jacques qui sera absent. — 4. J'irai t'aider à faire ta déclaration d'impôts .... ne préfères la faire tout seul. — 5. Son régime lui impose de manger du pain .... sel. — 6. Il a un caractère angoissé; quand il a un souci, ... petit ...., cela l'empêche de dormir. — 7. Cette vieille voiture ne vaut .... mille euros. — 8. Je ne connais rien de toute cette histoire .... que Pierre va se marier le 3 août. — 9. Je te prêterai de l'argent .... que tu puisses me le rendre rapidement.

4 Quoique et quoi que. Employez l'une de ces locutions dans les phrases suivantes à la place de l'expression en italique

1. Vous *aurez beau dire*, vous *aurez beau faire*, il suivra son idée car il n'écoute jamais les conseils. — 2. *Pensez ce que vous voulez*, moi je continue à voir les choses avec optimisme. — 3. L'épreuve orale de l'examen était facile, *pourtant* il la redoutait. — 4. *Bien que* je sois sûr de l'honnêteté du boulanger, je vérifie toujours la monnaie qu'il me rend. — 5. *Tout paresseux qu'il était*, il se levait régulièrement à 6 heures du matin pour aller travailler. — 6. *Malgré* une apparence calme, il est très nerveux. — 7. *Il aura beau m'écrire* pour s'excuser, je n'oublierai jamais ce qu'il m'a dit. — 8. J'ai toujours eu l'habitude de partir à la dernière minute. *Néanmoins*, je ne suis jamais arrivé en retard.

5 Quelque (+ adj.) ou quel que (+ verbe être au subj.)? Remplacez les pointillés par l'expression convenable

1. .... l'avis du médecin, je te conseille de mener une vie plus calme. — 2. .... les dépenses qu'il doive engager, il économise toujours pour aider les autres. — 3. .... égoïste qu'il puisse être, il sait faire de temps en temps un geste pour les autres. — 4. .... tes intentions, tu n'es pas obligé de les exprimer. 5. .... malade qu'il fût, il avait toujours le sourire. — 6. .... malheureux qu'il

soit, il ne le montre jamais. — 7. .... soient mes notes, je ne redoublerai pas ma classe. — 8. .... riche qu'il soit, il vit sobrement.

6 « Si... que » et « tout... que... ». Remplacez les pointillés par le mot qui convient

1. .... agrégé qu'il est, il fait des fautes d'orthographe. — 2. .... indulgent qu'il soit, il ne peut pas tout te pardonner. — 3. .... fatiguée qu'elle soit, elle ne se couche jamais sans avoir rangé sa maison. — 4. .... gentil qu'il soit, sa gentillesse a ses limites. — 5. .... blagueur qu'il est pour les autres, il n'aime pas qu'on lui adresse des plaisanteries. — 6. .... musicien qu'il est, il n'a pas su dire de qui était la musique de *Carmen*. — 7. Je me méfie de lui, ... sincère qu'il soit. — 8. .... charmant qu'il est en public, il sait bien se mettre en colère en famille.

6 Pour aller plus loin

1 Sans + infinitif présent ou passé. Un procédé pour alléger une phrase en supprimant les conjonctions concessives.

Transformez les phrases suivant le modèle proposé.

Ex. : Quoiqu'il n'ait aucun prestige, il se fait obéir facilement/Sans avoir aucun prestige, il se fait obéir facilement.

1. Bien qu'elle n'ait jamais appris l'anglais, elle est partie aux États-Unis toute seule. — 2. Quoique je n'aie pas su lire le plan, je suis arrivé à bonne destination. — 3. Quoiqu'il ne vous ait jamais parlé, il aimerait faire votre connaissance. — 4. Bien qu'il n'ait pas eu le temps de déjeuner, il est allé te chercher à la gare. — 5. Bien que je ne sois pas un champion d'orthographe, il est rare que je fasse une faute. — 6. Quoiqu'il ne soit pas riche, il s'est acheté un appartement. — 7. Alors que je ne lui ai pas donné de pourboire, le chauffeur de taxi m'a aidé à monter ma valise. — 8. Tout en n'ayant pas beaucoup préparé son concours, il espère être reçu.

2 Contre et malgré

On peut alléger une phrase en supprimant les conjonctions « quoique » et « bien que » en les remplaçant par « contre » + substantif (si l'obstacle est abstrait) ou « malgré » + substantif si l'obstacle est concret.

Ex. : Il a agi ainsi bien que je n'aie pas été d'accord/Il a agi ainsi contre ma volonté. Merci de m'avoir reçu chez vous quoique vous ayez été bien fatigué ce soir-là/Merci... malgré votre fatigue.

Transformez sur ce modèle les phrases suivantes

1. Il sera président de la République bien que d'autres prétendants rivalisent. — 2. Elle a voulu quitter la maison alors que ses parents ne le voulaient pas. — 3. Elle a

été condamnée bien qu'elle ait été innocente. — 4. Il ira au mariage de sa sœur bien qu'il soit malade. — 5. Bien que je lui ai conseillé vivement de reprendre ses études, il s'est fait embaucher dans un garage. — 6. Bien que la majorité des députés s'opposent à sa politique, il ira jusqu'au bout de ses propositions.

3 Les adjectifs de l'opposition

Trouvez l'adjectif qui convient le mieux à chaque substantif de la liste suivante et insérez-les dans une phrase entière : des attitudes, un cheval, des élèves, des couleurs, des lois, des partis, des pays, des points de vue, des prix, des propositions, des solutions, des sujets, des troupes.

1. Adverse. — 2. Antagoniste. — 3. Antinomique. — 4. Antithétique. — 5. Discordant. — 6. Hostile. — 7. Incompatible. — 8. Inconciliable. — 9. Prohibitif. — 10. Protestataire. — 11. Rebelle. — 12. Récalcitrant.

4 Les adverbes de l'opposition et de la restriction

Utilisez dans des phrases de votre choix les adverbes suivants

1. Au contraire. — 2. À l'inverse. — 3. À l'opposé. — 4. Contrairement. — 5. En revanche. — 6. Inversement. — 7. Par contre.

1. Cependant. — 2. Néanmoins. — 3. Pourtant. — 4. Quand même. — 5. Toutefois.

5 Les verbes de l'opposition

Remplacer les pointillés par le verbe qui conviendra : contester, contrarier, contrecarrer, contredire, objecter, regimber, renâcler, se rebeller, refuser, s'opposer.

1. L'accusé a .... les conclusions de ce procès. — 2. L'absence imprévisible de ma collègue a .... tous mes projets de vacances. — 3. Le témoin s'est toujours .... à dissimuler la vérité. — 4. Au moment de l'adolescence, tous les jeunes .... à leurs parents. — 5. Les élèves ont tous .... quand le professeur a annoncé une interrogation écrite. — 6. Les insurgés se .... contre la dictature. — 7. Quand on lui demande un petit service, il .... toujours. — 8. Il a passé sa soirée à .... tout ce que disait son père. — 9. Voilà encore un événement qui va .... tous mes plans. — 10. Devant ses critiques, on lui a .... qu'il n'était pas assez qualifié pour oser porter un jugement.

7 Travaux pratiques

1 Jeu de rôle

Avec vos amis vous faites des projets de vacances. Vous proposez d'aller visiter New York et les villes de la côte Est des États-Unis. Le projet est presque sur pied lorsqu'un de vos compagnons de voyage propose tout à coup d'aller plutôt faire une traversée du Sahara à pied. Une partie du groupe est enthousiasmée par ce nouveau projet. Une autre partie est carrément opposée au changement et cherche à contre-carrer le projet du voyage au Sahara. Imaginez et mimez la discussion.

Travail écrit

Les Français sont souvent divisés actuellement sur la question suivante : « Qu'est-ce que la culture ? ». En essayant de comprendre les points de vue différents, donnez votre opinion.

L'expression de l'opinion

Partie 2

Dossier 8

L'expression de la certitude

1 Texte de sensibilisation

Interview de la jeune comédienne Jeanne Laborde

Quotidien du Soir du 8 janvier 2002.

Q.S. : Jeanne Laborde, il y a peu de temps encore, votre nom était encore inconnu de la plupart des Français et, depuis le succès magnifique de *La Folle Rébecca* au cinéma, on ne parle plus que de vous ; votre photo s'étale à la une de tous les journaux. Que pensez-vous de cette ascension (n'ayons pas peur des mots) spectaculaire ?

J. L. : Je ne pense pas qu'il faille employer de si grands mots. Disons que j'ai eu de la chance. J'estime que je dois tout à mon producteur qui a eu le courage de miser sur moi et de me faire confiance alors que c'était mon premier rôle au cinéma.

Q.S. : Comment cela s'est-il passé ?

J. L. : J'ai l'impression que cela s'est passé pour moi comme pour beaucoup d'autres. J'étais en terminale au lycée Louis Jouvet et je rêvais de faire du théâtre (j'en rêve toujours d'ailleurs). Je suivais parallèlement des cours de théâtre au cours Mison et j'avais déjà joué quelques rôles, entre autres celui d'Agnès dans l'*École des Femmes.* Je pense que cela avait bien marché. Un jour j'ai répondu à une annonce trouvée dans un journal en envoyant ma photo et mon C.V. On m'a téléphoné le lendemain et on m'a fait faire quelques bouts d'essais. J'étais très angoissée. Quand cela a été fini, l'assistant m'a dit : « J'ai la conviction que tu es la Rebecca qu'il me faut. » On m'a donné le scénario à lire. J'ai tout de suite été séduite par le personnage de cette fille à la fois ingénue et perverse ; j'ai essayé de m'imprégner de sa personnalité, puis le tournage a commencé. Je crois que cela a été un des moments les plus extraordinaires de ma vie.

Q.S. : Pensez-vous avoir une Palme au festival de Cannes ?

J. L. : Il est évident que je n'ose pas l'espérer mais je suppose bien que j'ai quelques chances.

Q.S.: Après ce succès, pensez-vous revenir à vos premières amours c'est-à-dire au théâtre, ou croyez-vous que votre voie puisse être celle du cinéma?

J. L.: Je ne sais pas. Pour l'instant, je ne veux renoncer à rien. C'est extraordinaire d'être sur le tournage d'un film pendant trois mois dans une région nouvelle coupée du reste du monde; on ne quitte pas les copains, partenaires ou techniciens. On ne fait que ça. On vit dans une super ambiance. On se sent rassuré car on ne joue pas sans filet comme au théâtre. Je reconnais qu'on touche aussi un public beaucoup plus étendu qu'au théâtre et que c'est plus facile de se faire un nom quand il est à l'affiche de tous les films dans les toutes les villes.

Q.S.: Vous avez un peu éludé ma question. Alors je vous la pose à nouveau mais je crois comprendre que vos préférences vont au cinéma. Pensez-vous faire carrière dans le septième art?

J. L.: À mon âge, il est difficile de répondre à une telle question. J'imagine que ce sont les opportunités qui me guideront. Mais je peux déjà affirmer à mi-mots que je serais très tentée par un nouveau rôle au cinéma si l'on m'en proposait un. Mon acceptation serait immédiate, c'est évident.

Q.S.: Peut-on croire que vous avez des projets?

J. L.: Je ne l'affirmerai pas officiellement mais je crois que tout est possible pour moi en ce moment. Je suis convaincue que quelque chose va arriver mais ce serait prématuré de le dévoiler.

Q.S.: Bon, je crois comprendre que vous avez eu des propositions, mais que vous ne voulez pas les divulguer. C'est normal. Alors il est temps de vous remercier et de vous souhaiter bon vent pour la suite de votre carrière. Je crois qu'on reparlera de vous bientôt. Je vous remercie.

Repérage

De quel genre de texte s'agit-il?
Qui parle à qui?
Qui est Jeanne Laborde?
Que veut-on lui faire dire?

Inventaire

Soulignez dans ce texte toutes les expressions de l'opinion.

2 Les outils grammaticaux

Règle générale

a) Les verbes d'opinion et de certitude sont suivis de l'indicatif (ou du conditionnel) quand ils sont employés à la forme affirmative.

Ex. : Je pense que vous serez content et que tout se passera bien.
Je pensais que tu serais content et que tout se passerait bien.

b) Ces mêmes verbes sont suivis du subjonctif quand ils sont employés à la forme négative et à la forme interrogative.

Ex. : Je ne pense pas qu'il vienne.
Crois-tu qu'il puisse encore venir ?

Exception : Le verbe « se rendre compte » à la forme négative est suivi de l'indicatif.
Ex. : Je ne me suis pas rendu compte qu'il avait fait un tel travail.

Note : Tous les verbes d'opinion ne peuvent pas se mettre systématiquement à la forme négative. Par exemple il n'est pas possible de dire : « Je ne déclare pas. » On dira plutôt : « Je refuse de déclarer. »

3 Les outils lexicaux

1. Les verbes d'affirmation

a) Ceux qui impliquent une certitude totale :

affirmer que, assurer que, attester que, annoncer que, apprendre à qqn que, avancer que, avertir que, certifier que, considérer que, croire que, déclarer que, dévoiler que, dire, divulguer, être certain que, être convaincu que, être d'avis que, être persuadé que, être sûr que, faire savoir, garantir, informer, insinuer, insister sur, notifier, proclamer, promettre, prouver, rapporter, soutenir que, etc.

b) Ceux qui impliquent une certitude moins grande :

avoir l'intuition que, deviner que, espérer que, imaginer que, pressentir que, se douter que, se figurer que, s'imaginer que, soupçonner que, subodorer (fam.), supposer que.

2. Les substantifs

Une affirmation.
Une approbation = un accord que l'on donne à une vérité exprimée par quelqu'un d'autre.
Une assertion = une proposition que l'on soutient comme vraie.
Une acceptation = acte de considérer une vérité comme vraie.
Un acquiescement = adhésion à une vérité.

Une **adhésion** = accord sur une idée.
Un **assentiment** = adhésion de l'esprit à une vérité.
Une **confirmation** = action de rendre une vérité plus certaine.
Un **consentement** = accord donné à une vérité.
Un **entérinement** = approbation juridique.
Une **preuve** = sert à établir qu'une chose est vraie.
Une **ratification** = confirmation qu'une chose est valable surtout dans le domaine politique ou religieux.

3. Les expressions impersonnelles

a) Celles qui marquent une certitude totale

Cela saute aux yeux que (registre familier). C'est un fait que. Il est certain que. Il est clair que. Il est évident que. Il est indubitable que. Il est sûr que. Il est sûr et certain que. Il est vrai que. Il va de soi que. Personne ne peut nier que. Personne ne peut dire le contraire.

b) Celles qui marquent une certitude moins grande

Il apparaît que (+ ind.). Il est possible que (+ subj.). Il me paraît que (+ ind.). Il est probable que (+ ind.). Il me semble que (+ ind.). Il n'est pas impossible que (+ subj.). Il se peut que (+ subj.). On dirait que (+ ind.)

4. Les expressions de la certitude dans le registre familier

Admettre comme article de foi. Ajouter foi à. Croire dur comme fer. Croire les yeux fermés. Croire sur parole. Être comme saint Thomas (= croire seulement quand on a les preuves tangibles). Donner un chèque en blanc (= avoir la certitude qu'on peut avoir confiance en qqn.). Prendre pour argent comptant (= croire tout ce qu'on vous dit). S'en remettre à (accorder une confiance totale à qqn.).

4 Pour communiquer

1 Les différents emplois des verbes d'opinion.

Remplacez les pointillés par le verbe qui convient : affirmer, apprendre, annoncer, être convaincu, être sûr, insister, notifier, prouver, rapporter, soutenir.

1. Vous venez de vérifier l'horaire du train. Vous dites : « Le train est à 8 h 15. J'en suis .... » — 2. Vous venez d'apprendre qu'un de vos amis étrangers va venir. Vous dites : « Je vous .... une grande nouvelle. Christopher arrive. » — 3. Vous ignorez les résultats de votre examen. On vous dit que vous êtes reçu. Vous répondez : « Je suis vraiment content de .... » — 4. Vous amis ne croient pas ce que vous leur annoncez. Vous dites : « Je vous .... que c'est vrai. » — 5. Tout le monde vous dit que vous avez tort. Mais vous persistez dans votre affirmation. Vous dites :

« Je .... ce point de vue parce que je sais que je ne me trompe pas. » — 6. On vous a informé d'une nouvelle. Vous la répétez sans en avoir eu confirmation. Vous dites : « Je ne l'ai pas entendu de mes propres oreilles, c'est vrai. Je me contente de .... ce que j'ai entendu. » — 7. Cela fait trois fois de suite que vous répétez la même chose et votre auditoire n'a pas l'air de donner suite à votre attente. Vous dites : « Je me permets .... car ce que je dis me paraît important. » — 8. Vous venez d'assister à un procès. L'accusé, pour vous, est certainement innocent. Vous dites : « Je suis totalement .... de son innocence. » — 9. Le chef de service vient de faire passer une note pour indiquer que les employés ne pourront prendre de vacances avant le 15 juin. Vous dites : « On nous a .... que nous ne pourrions pas partir avant le 15 juin. »

2 Reliez les données suivantes avec les temps et les modes qui conviennent

1. Il est en retard/Je crois. — 2. Je t'ai déjà dit cela/Je ne pense pas. — 3. La poste est en grève/Je ne crois pas. — 4. Mon père est bien malade/Est-ce que je t'ai écrit ? — 5. Ils pourront déménager avant la fin du mois/J'espère. — 6. Mon frère va venir/Je ne pense pas. — 7. Il n'est pas possible de refuser cette invitation/Il va de soi. — 8. Mon fils peut épouser une femme vaniteuse/Je ne conçois pas. — 9. La politique est réservée aux hommes/Vous ne pensez tout de même pas. — 10. Un jour il n'y aura plus de guerre/Est-ce possible ?

3 Émettez sous différentes formes une opinion affirmative ou négative à partir des données suivantes à l'infinitif. Vous pouvez nuancer votre pensée et la développer à votre gré. Essayez d'utiliser au maximum les verbes d'opinion que vous connaissez.

Ex. : Résoudre le problème de la faim dans le monde.
– Je ne suis pas sûr que l'on puisse résoudre le problème de la faim dans le monde tant ses dimensions sont gigantesques.
– Je suis certain que l'on pourrait résoudre le problème de la faim dans le monde si les peuples riches acceptaient de partager ce qu'ils ont avec ceux qui n'ont rien.
– Je suis persuadé qu'on arrivera un jour à résoudre le problème de la faim dans le monde mais actuellement aucune solution ne paraît évidente etc.

1. Guérir le cancer. — 2. Changer de politique gouvernementale. — 3. S'informer en regardant seulement le journal télévisé (le JT) de 20 heures. — 4. S'accommoder d'un train de vie réduit. — 5. Gagner de l'argent d'une manière honnête en ne faisant rien.

5 Exercices écrits

1 Mettez les phrases suivantes à la forme négative

1. Je crois qu'il a très envie de dormir. — 2. Sa femme pense qu'il a raté sa vie. — 3. Il croit que les Martin sont également invités. — 4. Il est évident qu'il est compétent pour ce type de travail. — 5. Il me semble qu'il a de la fièvre. — 6. Je trouve qu'il est égoïste. — 7. Nous avons pensé qu'il avait pu avoir un accident. — 8. Il imagine que nous pouvons comprendre ses hésitations. — 9. Tu comptes que je viendrai te chercher en voiture ? — 10. Il est évident que ma réponse sera négative.

2 Mettre à la forme affirmative. Vous serez amené à faire des modifications grammaticales et lexicales pour que la phrase soit correcte et logique. Écrivez la phrase en entier.

1. Il n'est pas sûr que je puisse avoir mon lundi pour faire le pont du 14 juillet. — 2. Je ne suppose pas qu'il vienne un jour me demander pardon. — 3. Il ne me semble pas que ce soit un gars bien courageux au travail. — 4. Je ne pense pas que tu puisses encore déposer ton dossier puisque le délai est passé de quinze jours. — 5. Il n'est pas évident qu'il veuille participer à cette entreprise si aléatoire car il n'a pas confiance en ses qualités d'organisateur. — 6. Il ne se rend pas compte qu'il ne pourra jamais finir sa maquette tout seul. — 7. Je ne pense pas que mon mari puisse nous accompagner au cinéma. — 8. Je ne certifie pas que mon chien ait été vacciné. — 9. Je n'ai jamais constaté qu'il ait cherché à contrefaire ma signature. — 10. Il est peu probable qu'il ait une maladie grave.

3 Mettez le verbe entre parenthèses au temps voulu

1. La SNCF informe les usagers qu'à partir du 15 juillet il y (avoir) une augmentation de 5 % sur tous ses tarifs. — 2. La presse a divulgué une information selon laquelle le cinéaste (être poursuivi) pour fraude fiscale. — 3. La loi ne stipule en aucun décret que les locataires (devoir) payer la réfection des toits et le ravalement des façades. — 4. Il m'a confié qu'il (être) sur la liste du personnel qui (être) licencié d'ici six mois. — 5. Depuis des mois il ressassait qu'il (avoir) des griefs contre moi. — 6. Pendant toute la réunion il n'a cessé d'avancer qu'il (être) candidat aux prochaines élections. — 7. Il n'a jamais affirmé qu'il (pouvoir) assumer cette responsabilité. — 8. Il n'a pas certifié que ce tableau (être) un faux. — 9. Je ne vous certifie pas que cette personne (être rentrée) dans votre bureau en votre absence. — 10. J'insiste fortement pour que vous (retenir) vos places à l'avance car je ne garantis pas qu'elle (être libres) encore la veille. — 11. Tu as ébruité que ton ami (avoir contracté) des dettes qu'il (ne pouvoir) honorer alors qu'il te l'(avoir confié) sous le sceau du secret. — 12. En toute sincérité, je ne pense pas que cet homme (être) vraiment un escroc, mais je pense qu'il (falloir) tout de même s'en méfier.

Exercice lexical

Remplacez les pointillés par le mot qui convient choisi dans la liste suivante : convaincre, désavouer, garantir, informer, insinuer, notifier, persuader, révéler, se rétracter, stipuler.

1. Quand on est sûr de ne pas avoir commis de faute au volant, on est .... de son bon droit. — 2. J'achète un appareil ménager. Le vendeur me .... qu'il ne comporte aucun défaut de fabrication. — 3. L'avocat est tout à fait .... de l'innocence de son client. — 4. La mère avait honte de son fils. Elle a .... publiquement sa conduite. — 5. Le directeur du personnel a .... qu'il y aurait des suppressions d'emploi avant la fin de l'année. — 6. Les journalistes d'un quotidien .... chaque jour leurs lecteurs des moindres événements de la politique. — 7. Elle a .... que sa voisine avait fait de fausses déclarations. — 8. Un magazine à grand tirage a .... que le prince Robert allait divorcer. — 9. Hier, il m'avait promis qu'il me prêterait de l'argent mais aujourd'hui il s'est .... en disant qu'il avait lui-même des difficultés. — 10. La loi .... que les étrangers n'ont pas le droit de vote en France.

6 Pour aller plus loin

Le « oui » et le « non »

L'opinion s'exprime souvent simplement par un « oui » ou par un « non ».

1. L'accord : le « oui »

Quelques différentes manières de répondre « oui » :

1. Avec plaisir. — 2. Bien sûr. — 3. D'accord. — 4. Certainement. — 5. Certes. — 6. C'est clair. — 7. Entendu. — 8. Évidemment. — 9. OK. — 10. Sans aucun doute. — 11. Volontiers. — 12. Parfaitement. — 13. Absolument. — 14. Tout à fait d'accord.

1 Quelques réponses courantes du langage parlé pour dire son accord : **chacune de ces phrases est la réponse à une situation bien précise. Trouver ces situations afin de pouvoir intégrer la phrase donnée dans son contexte approprié.**

1. Je comprends très bien.
2. Je suis bien d'accord avec toi.
3. Je ne suis pas à convaincre.
4. Je te fais entière confiance.
5. Pas de problème.
6. Tes désirs sont des ordres.
7. Je te donne carte blanche.
8. Tu es le seul juge.
9. Compris !
10. C'est OK.

2. Le désaccord : le « non »

Quelques différentes manières de dire « non » :

1. Absolument pas. — 2. Aucunement. — 3. C'est impensable. — 4. C'est impossible. — 5. Ce n'est même pas la peine de l'envisager. — 6. Ce n'est pas faisable. — 7. Ce n'est pas possible. — 8. En aucune façon. — 9. C'est hors de question. — 10. Jamais. — 11. Jamais de la vie. — 12. Nullement. — 13. Pas du tout. — 14. Pas le moins du monde. — 15. Point. — 16. Niet !

2 Quelques réponses courantes du langage parlé pour dire son désaccord. **Trouver les contextes dans lesquels ces phrases peuvent s'insérer**

1. J'ai dit non, c'est non.
2. Je ne reviens jamais sur ce que j'ai dit.
3. Je ne peux pas m'habituer à cette idée.
4. Je ne suis pas du tout d'accord avec toi.
5. Il freine des quatre fers.
6. Je te mettrai des bâtons dans les roues.
7. Il n'en est absolument pas question.
8. Il n'y a aucune raison.
9. Cause toujours, tu m'intéresses !
10. Tu peux toujours courir !

3 **Trouver les situations qui amènent les réponses ci-dessus afin de les insérer dans un contexte vécu.**

Le compromis ou l'hésitation : quand on ne sait pas si on doit répondre oui ou non.

Le langage parlé connaît de nombreuses manières pour exprimer l'hésitation. En voici quelques-unes :

Les mesures dilatoires (c'est-à-dire celles qui reculent le moment de la décision)

1. Attendons encore un peu. — 2. Ce n'est pas encore au point dans mon esprit. — 3. Il faut que je réfléchisse encore. — 4. J'ai encore besoin de temps pour prendre une décision. — 5. J'hésite encore. — 6. Laissez-moi un délai de réflexion. — 7. On verra plus tard. — 8. On peut encore en discuter. — 9. Ne prenons pas une décision tout de suite. — 10. On en reparlera un autre jour. — 11. Laissons du temps au temps.

Le compromis

1. Cela pourrait se négocier. — 2. Il y a peut-être un arrangement à trouver. — 3. J'ai besoin de demander conseil. — 4. J'hésite encore. — 5. Je ne vois pas la solution. — 6. Faisons un compromis. — 7. Peut-être. — 8. Pourquoi pas ? — 9. Je suis encore dans l'indécision la plus totale. — 10. Je ne peux pas répondre : je n'y vois pas clair. — 11. Cela peut se discuter. ! (ça se discute !).

7 Travaux pratiques

Rédigez puis mimez la plaidoirie d'un avocat qui veut défendre son client accusé (à tort selon lui) d'avoir commis un hold-up dans une banque. Utilisez les expressions fortes de la certitude pour donner plus de conviction à votre défense.

Il est évident…
Il faut reconnaître…
Je garantis…
J'affirme…
Je certifie…
Je m'engage à…
Les preuves formelles ne peuvent pas nous tromper…
Pourquoi voulez-vous que… ?
Comment aurait-il pu se faire que… ?
Vous imaginez que… mais…
Et moi je suis convaincu que…
etc.

Dossier 9

L'expression du doute et de l'incertitude

1 Texte de sensibilisation

LE CLOCHARD

Personne ne savait qui il était et d'où il venait. On supposait qu'il avait eu un passé difficile, plein d'ombres et de souffrances secrètes. On était habitué à le voir chaque jour, assis contre un muret, tendant une casquette douteuse pour récolter quelques pièces. Le dimanche, il prenait son vélo pour aller plus vite d'une église à l'autre afin de « faire toutes les sorties de messe ». Lorsque chaque battement de porte déversait sur lui les accents solennels des grandes orgues, il ne mettait pas en doute que le moment de la récolte la plus fructueuse de la semaine était venu pour lui !

Il intriguait les habitants de notre petite ville et les supputations allaient bon train. Les gens se posaient mille questions à son sujet. Quand on lui parlait, il répondait laconiquement d'une manière tellement évasive qu'elle était incompréhensible. Ses yeux toujours dans le vague cherchaient, semblait-il, une hypothétique consolation dans un lointain mystérieux dont lui seul connaissait les contours et l'incommensurable tristesse. Il se contentait souvent de hocher la tête comme s'il voulait garder pour lui seul le secret de son passé douloureux. Qu'avait-il fait avant de sombrer dans la précarité et l'alcoolisme ? Avait-il eu une famille ? Un travail ? Était-il originaire de notre ville ? Pourquoi s'était-il fixé ici ? Qui était-il ?

On ne doutait pas de sa détresse actuelle car son énigmatique demi-sourire impliquait de nombreux mystères et des points d'interrogation auxquels chacun essayait d'apporter une réponse sans aucun fondement.

Il y a quelques jours, je marchais sur le trottoir lorsqu'il m'a semblé reconnaître le visage de celui qu'on n'avait plus vu depuis quelque temps ; il était assis au soleil sur un banc devant l'entrée de l'hôpital, revêtu de l'éternel pyjama bleu pâle des pauvres dans les hospices. Je le reconnaissais mal. Je n'arrivais pas à savoir si c'était vraiment lui ou quelqu'un qui lui ressemblait. J'étais perplexe. Fallait-il lui sourire ? Passer outre ? Lui dire quelques mots ? Et si ce n'était pas lui ? On le reconnaissait difficilement car il était propre, rasé de frais contrairement à l'accoutumée. J'esquissai un sourire et continuai mon chemin d'un pas hésitant lorsque je l'entendis murmurer derrière moi quelques paroles inaudibles qui avaient l'air de m'être adressées. Je revins sur mes pas. Cette fois-ci je le reconnaissais mieux et me sentais plus sûre de moi : « Mais vous êtes là ? Vous êtes hospitalisé ? Depuis longtemps ? » Il me regarda longuement comme s'il voulait tergiverser et chercher quelque faux-fuyant avant de dévoiler son mal. « Regardez, me dit-il brusquement en me montrant une énorme grosseur sur son cou. "Ils" m'ont trouvé un cancer à ce qu'ils disent, et "ils" veulent me garder pour je ne sais combien de temps. Je ne suis pas habitué à vivre entre les quatre murs d'une chambre ; j'ai l'impression d'étouffer là-haut ; il paraît qu'"ils" veulent me faire une chimiothérapie, mais qu'est-ce que c'est encore ce machin-là ? » Je suis restée muette, ne sachant plus ce que je devais dire ou ce que je devais faire. Dans mon indécision, je bredouillai quelques mots : « Je comprends vos interrogations. Est-ce que je peux vous aider en quelque chose ? » Un sourire illumina quelques instants sa figure burinée et ravagée par le mal. « Ne vous en faites pas pour moi. Je vais remonter dans ma chambre car "ils" ne doivent pas savoir où me chercher et c'est bientôt six heures, l'heure du dîner. »

Repérage

Qu'est-ce qu'un clochard ?
Quelle est l'activité essentielle de ce clochard ?
Que lui arrive-t-il ?

Inventaire

Soulignez dans ce texte toutes les expressions du doute en séparant les éléments grammaticaux et les éléments lexicaux.

2 Outils grammaticaux

1. Règle générale : les verbes qui expriment le doute sont toujours suivis du subjonctif.

Ex. : Je doute qu'il vienne.
Je ne doute pas qu'il vienne.

N.B. : Un problème se pose quand certains verbes sont à la forme négative car ils prennent alors un sens affirmatif. Dans ce cas-là ils sont normalement suivis de l'indicatif.

Ex. : Je ne nie pas qu'il y est allé.
Je ne doute pas qu'il viendra.

Attention : Le verbe « douter » est suivi du subjonctif mais le verbe « se douter » qui implique une certitude plus marquée est suivi de l'indicatif.

Ex. : Je doute qu'il vienne.
Je me doute bien qu'il viendra.

« Il est possible » est suivi du subjonctif.
« Il est probable » qui exprime une presque certitude est suivi de l'indicatif.

Ex. : Il est possible qu'il vienne.
Il est probable qu'il viendra.

2. L'emploi du conditionnel apporte une idée de doute sur l'affirmation donnée.

3 Les outils lexicaux

1. Quelques substantifs

Un doute, une hésitation, une incertitude, l'incrédulité, l'indécision, l'irrésolution, la perplexité, l'atermoiement, la tergiversation.

2. Quelques adjectifs

Aléatoire (= incertain): Une réussite aléatoire.
Ambigu (= incertain car plusieurs interprétations sont possibles): Une réponse ambiguë.
Contestable (= pas certain pour tout le monde): Une décision contestable.
Discutable (= pas certain pour tout le monde): Un goût discutable.
Équivoque (= peut s'interpréter de manières différentes) = Des paroles équivoques.
Hasardeux (= dont l'aboutissement est incertain): Une entreprise hasardeuse.
Hypothétique (= incertain car soumis à des conditions): Un hypothétique voyage.
Improbable: Une guérison improbable.
Incertain: Un avenir incertain.
Obscur: Une réponse obscure.
Problématique: Un comportement problématique.
Sceptique: Un jugement sceptique.

3. Quelques expressions du langage parlé pour marquer le doute

1. Cela m'étonnerait bien que... — 2. Ce n'est pas évident que... — 3. Il est bien douteux que... — 4. Il est peu probable que... — 5. Il est à craindre que... — 6. Je doute fort que... — 7. Je n'ai aucune preuve pour affirmer que... — 8. Je suis indécis... — 9. Je suis sceptique. — 10. Je suis perplexe. — 11. Rien n'est moins sûr que... — 12. Permettez-moi d'en douter.

4 Pour communiquer

1 Répondez aux questions suivantes

1. Croyez-vous à l'influence du thème astral sur la destinée de quelqu'un?
2. Êtes-vous superstitieux? Quelles sont vos superstitions? Quelles sont celles qui vous laissent dans le doute?
3. Croyez-vous que l'éducation puisse changer quelque chose d'important dans la personnalité d'un enfant?
4. Croyez-vous que le climat puisse avoir une influence sur le caractère d'une population?
5. Croyez-vous que le rayonnement de la lune puisse avoir une influence bénéfique ou non sur la santé des humains?

2 Transformez ces affirmations pour qu'elles deviennent l'objet d'un doute

Ex. : Paul va venir ce soir/Paul va venir ce soir ? Laisse-moi en douter ! (ou j'en doute fort ! etc.).

1. Il pleuvra demain. — 2. Il nous rapportera l'argent qu'il nous a emprunté. — 3. Nous ne dépenserons que 50 euros par jour en voyage. — 4. Ce sera un grand champion un jour. — 5. Tu réussiras ce concours. — 6. Il est honnête. — 7. Tu auras ce poste. — 8. Nous avons fait une erreur.

5 Exercices écrits

1 Émettez des doutes sur les assertions suivantes

1. Beaucoup de pays sont en paix en ce moment sur la planète. — 2. C'est un garçon très intelligent. — 3. C'est un élève travailleur. — 4. La liste est exhaustive. — 5. Il affirme avoir beaucoup voyagé. — 6. Il a l'air d'un homme très riche. — 7. La cuisine anglaise est appréciée des Français. — 8. Les prélèvements fiscaux vont baisser. — 9. Le Premier ministre va démissionner. — 10. C'est un arbre qui ne perd pas ses feuilles en hiver.

2 Mettre le verbe à l'infinitif au temps voulu

1. Il nie que nous nous (être rencontrés) le mois dernier. — 2. Il est douteux que nos amis (venir) en vacances avec nous. — 3. L'accusé n'a pas nié qu'il (avoir rencontré) la victime la veille. — 4. Il est aléatoire qu'il (être élu) aux élections cantonales. — 5. Il est hors de doute qu'il n'(avoir mis) jamais les pieds ici. — 6. Il est indéniable qu'il (avoir enfourné) des cassettes dans son sac. — 7. Je me doute bien que tu (ne pas passer) toutes tes vacances enfermé dans ton appartement. — 8. Il doute fort que son amie (savoir) faire la cuisine niçoise. — 9. Il est peu probable que cet enfant (savoir) lire un jour. — 10. Je ne peux pas affirmer que mon fils (ne pas avoir fait) des bêtises.

6 Pour aller plus loin

1 Ne confondez pas : douter, se douter, ne pas mettre en doute, il est hors de doute, ne pas douter.

Remplacez le verbe en italique par un verbe pris dans la liste ci-dessus.

1. *J'imagine bien* qu'il a mal réagi en apprenant cette mauvaise nouvelle. — 2. Quand la guerre a éclaté, *j'étais à une lieue de l'imaginer*. — 3. *Cela m'étonnerait beaucoup* qu'il accepte cette proposition. — 4. *Je ne pense pas* que le docteur puisse vous recevoir avant un mois. — 5. *Je devine* qu'il est très mécontent. — 6. *Je suis absolument certain* qu'il a raison. — 7. Les économistes *ne croient pas* que le pays

puisse échapper à la récession. — 8. *Auriez-vous soupçonné* que les Marseillais fussent (soient) aussi blagueurs ? — 9. *Je suppose* qu'il a été content de son séjour aux Baléares. — 10. Les médecins *n'espèrent pas* sa guérison. — 11. Elle *n'imagine pas* la fête que nous préparons en secret pour elle.

2 Ne confondez pas : il est possible, il est impossible, il n'est pas possible, il est probable, il est improbable, il est peu probable.

Selon le degré de certitude, mettez le verbe entre parenthèses au temps qui convient.

1. Il est probable qu'elle (se marier) au mois de juillet. — 2. Il est possible que ses parents (venir) la voir. — 3. Il est peu probable que je (réussir) mon concours. — 4. Il est improbable que ses enfants (pouvoir) se déplacer pour son anniversaire. — 5. Il n'est pas possible qu'il (être allé) de Paris à Marseille en quatre heures. — 6. Il est impossible que ce travail (être fini) avant huit jours. — 7. Il n'est pas impossible que je (venir) vous rendre une visite avant l'été. — 8. Il est probable que je (venir) en train.

7 Travaux pratiques

1 Vous êtes journaliste à la télévision.

Vous devez annoncer dans votre JT de 20 heures, que le vaccin contre le SIDA aurait enfin été trouvé. Vous n'êtes pas entièrement sûr de la véracité de cette information. Vous voulez à la fois rassurer ceux qui en ont besoin et ne pas donner de faux espoirs aux autres.

Rédigez le texte de votre communiqué.

2 Vous lisez un journal.

Utilisez un article d'information de votre choix. Transformez-le pour que les informations soient nuancées d'un léger doute signalant ainsi que les informations n'ont pas encore été vérifiées.

L'expression des sentiments

Partie 3

Dossier 10

L'amour et la joie

J'aime la vie

Oui, j'aime la vie car elle est bonne et que chaque moment demande à être savouré intensément. Chaque journée est riche d'événements multiples que bien souvent nous vivons trop machinalement, sans nous apercevoir qu'il est bon de respirer, qu'il est bon de manger, qu'il est bon de travailler, qu'il est bon d'aimer ou de recevoir des marques d'amitié.

Chaque année, des printemps renaissent, des fleurs éclosent, des moissons ondulent, des cerises mûrissent, des arbres se revêtent de leurs superbes teintes d'automne. Comment ne pas vivre intensément ces fêtes de la nature ? Comment ne pas être rempli d'allégresse et d'admiration devant une telle surabondance de vie, capable de transformer des broussailles grises en gerbes de fleurs, des forêts tristes et dénudées en merveilleuses symphonies de couleurs ?

Certes on ne peut nier que chaque existence est lourde aussi de périodes difficiles à traverser. Mais elles sont la plupart du temps accompagnées de marques d'amitié qui méritent d'être profondément perçues et goûtées : une main amie qui se tend, un sourire, une parole destinée à vous chauffer le cœur ne sont-ils pas des aides puissantes dans la traversée des épreuves ?

Les journaux ne nous offrent souvent que les récits douloureux de catastrophes ou de désastres. Certes, en apprenant ces nouvelles, notre cœur est bouleversé profondément par la souffrance de l'humanité. Notre premier mouvement est de ne voir dans le monde que haine et turpitude. Mais si nous ouvrons davantage les yeux, nous voyons aussi ceux qui savent aimer, ceux qui savent donner leur temps pour venir en aide aux naufragés de la société, ceux qui risquent leur vie ou même la donnent pour secourir les autres, ceux qui s'investissent totalement pour des inconnus dans la détresse ou la maladie. Ne méritent-ils pas qu'on s'arrête pour mesurer à quel point ils contribuent dans leur petite sphère à l'amélioration de la condition humaine ?

Aimons les moindres circonstances de la vie, si petites soient-elles : la place de village chauffée par le soleil où les gens ont l'air heureux de boire un verre ensemble à la terrasse d'un café ; le manège de chevaux de bois autour duquel des parents souriants adressent des signes de tendresse à chaque passage de leur enfant ; l'étal du fleuriste sur le trottoir, la sortie bruyante et joyeuse d'une école primaire, la devanture changée en fête par la grâce des décorations de Noël, l'enfant qui, avec toute la joie du monde dans les yeux, souffle les bougies de son anniversaire, et mille autres choses qui sont la trame de notre vie quotidienne et lui apportent de l'intérêt. Sachons les vivre pleinement avec la totale conscience que ces bonheurs partagés même silencieusement participent à notre bonheur de vivre construit avec toutes ces petites richesses de l'existence quotidienne. La pire des tristesses est de porter sur la vie un regard blasé car alors plus rien ne vous touche. Sachons percevoir la moindre passerelle tendue mystérieusement entre les êtres et n'oublions jamais que la vie est le plus précieux de tous les biens que nous puissions posséder sur cette terre.

– Quelle est l'idée principale de ce texte?
– Soulignez tous les mots qui expriment des sentiments. Pouvez-vous donner un nom à ces sentiments?

1 Outils grammaticaux

Les verbes qui expriment des sentiments sont suivis:

a) Du subjonctif.

Ex.: Je suis très heureux et très fier que tu aies réussi ce concours.

b) De l'infinitif **si les sujets des deux propositions sont les mêmes.**

Ex.: Il est très heureux et très fier d'avoir réussi ce concours.

c) **On peut aussi exprimer des sentiments par** la forme exclamative.

Ex.: Quelle joie et quelle fierté pour nous que tu aies réussi ce concours!

2 Outils lexicaux

1. Quelques expressions verbales pour exprimer le contentement, la joie

1. Cela m'amuse que… — 2. Cela me convient très bien. — 3. Cela me fait rire. — 4. Cela me plaît. — 5. C'est amusant. — 6. C'est drôle. — 7. C'est un bonheur pour moi. — 8. C'est une chance pour moi. — 9. C'est une grande joie pour moi. — 10. J'aime que… — 11. J'aime bien que… — 12. Je me félicite que… — 13. Je me réjouis que… — 14. Je me réjouis avec toi que… — 15. Je me réjouis vivement que. — 16. Je partage ta joie. — 17. Je suis content que… — 18. Je suis enchanté que… — 19. Je suis enthousiasmé par (+ un substantif). — 20. Je suis heureux que…

2. Quelques substantifs qui expriment le contentement, la joie

1. L'agrément. — 2. L'allégresse. — 3. La béatitude. — 4. Le bien-être. — 5. Le bonheur. — 6. La bonne humeur. — 7. La drôlerie. — 8. L'enchantement. — 9.

L'entrain. — 10. La fascination. — 11. La gaîté. — 12. L'hilarité. — 13. La jovialité. — 14. Le ravissement. — 15. Le rayonnement. — 16. La satisfaction.

3. Substantifs : vingt qualités du cœur nécessaires pour se faire des amis

1. L'amitié. — 2. L'amour. — 3. La bienveillance. — 4. Le charme. — 5. La compréhension. — 6. La confiance. — 7. La convivialité. — 8. La délicatesse. — 9. La discrétion. — 10. L'écoute. — 11. L'encouragement. — 12. La fidélité. — 13. La gentillesse. — 14. L'indulgence. — 15. L'intuition. — 16. Le partage. — 17. La serviabilité. — 18. Le tact. — 19. La tendresse. — 20. La tolérance.

4. Quelques expressions pour parler de quelqu'un dont la joie de vivre est communicative

C'est un bon vivant !
C'est un boute-en-train !
C'est un gai luron !
C'est un joyeux compagnon !

3 Pour communiquer

1 Répondez aux questions suivantes

1. Quelle est la plus grande satisfaction que puisse avoir un médecin ? — 2. Quelle est la plus grande joie d'un joueur de tennis ? — 3. Quel est le plus grand bonheur d'un écolier ? — 4. Quelle est la plus grande joie d'un couple d'amoureux ? — 5. Quelle est la plus grande satisfaction des parents ? — 6. Qu'est-ce que l'amitié ? — 7. Que veut-on exprimer quand on dit à quelqu'un : « J'ai confiance en toi » ? — 8. Qu'est-ce qu'une amourette ? une passion ? une passade ? l'amour ? — 9. Quel est pour vous le comble de la gentillesse ? — 10. Si l'on voulait vous faire plaisir, quel cadeau pourrait-on vous offrir ?

2 Extrait du questionnaire de Proust

Ce très célèbre questionnaire élaboré par Marcel Proust (1871-1922) a fait la joie des salons mondains pendant de longues années. Il a été repris par Bernard Pivot à la fin de chacune de ses célèbres émissions littéraires *Bouillon de Culture*. À votre tour, vous allez répondre à quelques-unes des questions suivantes :

1. Quel est pour vous le comble du malheur ?
2. Où aimeriez-vous vivre ?
3. Quel est pour vous l'idéal du bonheur terrestre ?
4. Pour quelles fautes avez-vous le plus d'indulgence ?
5. Quelle est votre qualité préférée chez l'homme ?
6. Quelle est votre qualité préférée chez la femme ?

7. Qu'appréciez-vous le plus chez vos amis?
8. Que détestez-vous par-dessus tout?
9. Quelle est votre occupation préférée?
10. Quel est votre juron habituel?
11. Quel est le don de la nature que vous aimeriez avoir?
12. Si Dieu existe, qu'aimeriez-vous vous entendre dire lorsque vous arriverez au paradis?

3 Test. Savez-vous faire plaisir?

1. Savez-vous féliciter vos amis quand ils ont un succès?
2. Savez-vous vous réjouir pleinement d'un bonheur d'une autre personne alors que vous n'avez pas eu la même chance?
3. Est-ce pour vous important de vous manifester à l'occasion de l'anniversaire de vos amis?
4. Envoyez-vous des cartes postales à vos amis lorsque vous êtes en voyage?
5. Après une petite dispute, savez-vous faire le premier pas en vue d'une entente sans nuage?
6. Vous efforcez-vous de deviner les attentes de ceux que vous côtoyez, même si elles ne sont pas exprimées?
7. Savez-vous prendre le téléphone spontanément pour appeler un ami sans vous demander qui a appelé la dernière fois?
8. Préparez-vous des petits cadeaux à l'occasion de Noël ou du Jour de l'An?
9. Quand vous voulez inviter des amis chez vous, le travail matériel à accomplir pour préparer le repas fait-il partie de la joie de se réunir?
10. Avez-vous à cœur de ne pas dire de paroles qui puissent dévaloriser un ami?

Donnez un point à chaque réponse positive. Si vous totalisez dix points vous pouvez être satisfait: vous êtes un(e) ami(e) parfait(e). Si vous avez moins, vous avez encore beaucoup de progrès à faire!

4 Exercices écrits

1 Remplacez les pointillés par le sujet et le verbe de sentiment (amour ou contentement) qui conviennent

1. .... de vous avoir rencontré ce matin. — 2. .... sa femme soit très élégante. — 3. .... de voir combien ce chien et ce chat savent se manifester de la tendresse. — 4. .... de s'asseoir sur la terrasse au soleil couchant. — 5. .... de parler le soir autour d'un bon feu de bois. — 6. .... de découvrir des pays nouveaux. — 7. .... lire un livre passionnant. — 8. Aller au cinéma avec des amis et d'en discuter ensuite, c'est .... — 9. .... que tu fasses la connaissance de mes parents. — 10. .... vous ayez trouvé l'âme sœur.

2 Exercice lexical. Remplacez les pointillés par l'adjectif convenable que vous prendrez dans la liste ci-dessous : affriolant, agréable, captivant, charmant, coquet, délicieux, enchanteur, entraînant, piquant, plaisant.

1. C'est une petite fille .... ; elle est gracieuse, mignonne et très affectueuse. — 2. Nous vous remercions de votre accueil si chaleureux ; nous avons passé une soirée très .... — 3. J'ai été très heureuse de faire la connaissance de ton ami ; c'est un garçon vraiment très .... — 4. On m'a prêté un roman policier .... — 5. C'est une petite jeune femme brune, vive et .... dont la conversation est amusante. — 6. Nos amis ont loué une villa très .... au bord de la mer. — 7. L'orchestre a commencé par des morceaux .... pour donner aux spectateurs l'envie d'aller danser. — 8. Pour le séduire, elle avait revêtu un déshabillé .... — 9. C'est une jeune femme .... toujours bien habillée et bien maquillée. — 10. J'ai passé mes vacances dans un site ....

3 Savoir exprimer sa joie par une phrase. On vous donne une situation, vous écrivez en entier la phrase (ou les phrases) que vous exprimez.

1. On vous offre un bouquet de fleurs en l'honneur de votre anniversaire ; pour remercier vous dites : ....

2. Vous envoyez un cadeau à des jeunes mariés. Vous rédigez une petite carte que vous joignez au colis. Vous écrivez : ....

3. Vous êtes invité. La maîtresse de maison a réussi un repas délicieux. Vous exprimez votre satisfaction : ....

4. Vous avez eu un échange profond avec un(e) ami(e). En lui disant au revoir, vous dites : ....

5. Un de vos camarades vient de réussir un concours très difficile. Vous lui écrivez pour le féliciter. Vous lui dites : ....

4 La plaisanterie, le rire

Tous les mots de la liste ci-dessous sont des synonymes du mot « plaisanterie », mais ont des nuances variées selon le contexte dans lequel ils sont employés. Remplacez les pointillés par le mot convenable : une blague, une boutade, un canular, une farce, des farces et attrapes ; une galéjade, des gaudrioles, des pitreries, une plaisanterie, un poisson d'avril.

1. Quand j'ai appelé mon frère au téléphone en falsifiant ma voix, il n'a pas compris tout de suite que c'était une .... — 2. Il a un caractère très susceptible et ne comprend pas la .... — 3. On va faire une bonne .... à Sylvain ; on va lui faire croire que son patron veut lui offrir une grosse prime ! — 4. J'ai acheté un camembert en plastique, très bien imité. Il se met à siffler quand on le coupe. Je l'ai acheté dans un magasin de .... — 5. Ne te vexe pas si j'ai dit que les Méridionaux ne prenaient rien au sérieux ; tu vois bien que c'était une .... — 6. Il plaisante quelquefois avec des histoires assez lestes. Hier il a dit des .... toute la soirée. — 7. Le 1er avril, la télévision a annoncé que toutes les rivières de

France allaient déborder. Beaucoup de personnes ont pris peur, mais beaucoup d'autres ont tout de suite compris qu'il s'agissait d'un .... — 8. Les étudiants s'amusent souvent à faire un énorme .... pour faire peur aux jeunes bizuths de la première année. — 9. C'est un homme absolument tordant; en général il fait rire tout le monde par ses .... — 10. J'ai dit cela comme une ....; je ne voulais vexer personne, tu t'en doutes bien.

5 Pour aller plus loin

1. L'expression du courage

1 Quelques expressions pour dire que quelqu'un a du courage. Trouvez les situations dans lesquelles on peut employer ces expressions.

1. Il a du ressort. — 2. Il se joue des difficultés. — 3. Il lutte contre vents et marées. — 4. Il ne perd pas pied. — 5. Il ne s'arrête pas au premier obstacle. — 6. Il ne se laisse pas démonter. — 7. Il ne s'avoue jamais vaincu. — 8. Il s'accroche. — 9. Il part gagnant. — 10. Il se démène comme un beau diable. — 11. Il ne se laisse pas abattre. — 12. Il se bat (magnifiquement) !

2 Donner des exemples pour justifier les qualifications suivantes.

Ex. : Il est entreprenant ; oui, en effet il a voulu faire le tour du monde en voilier.

1. Il est audacieux. — 2. Il est dynamique. — 3. Il est fonceur. — 4. Il est intrépide. — 5. Il est persévérant. — 6. Il est résolu. — 7. Il est stoïque. — 8. Il est téméraire.

Savoir encourager

Étude de quelques expressions pour dire à quelqu'un de ne pas perdre courage.

1. Il faut repartir à zéro. Le passé est passé. — 2. Chaque jour est un jour nouveau, on repart neuf tous les matins. — 3. Encore un petit effort et tu vas y arriver. — 4. Efforce-toi d'être positif. — 5. Il ne dépend que de toi de t'en sortir. — 6. On ne reste jamais sur un échec. On recommence. — 7. On compte sur toi. — 8. Pas d'états d'âme négatifs. — 9. On ne réussit pas tout du premier coup, mais on finit toujours par y arriver. — 10. Prends chaque difficulté l'une après l'autre ; ce sera plus facile.

Dans une langue plus familière :

1. Accroche-toi ! — 2. Aie confiance. — 3. C'est arrivé à d'autres. — 4. Mais si ! Bien sûr tu y arriveras ! — 5. Ne baisse pas les bras ! — 6. Ne flanche pas ! — 7. Reprends-toi ! — 8. Ressaisis-toi ! — 9. Secoue-toi ! — 10. Allez, vas-y !

Travail écrit

Un de vos camarades vient de rater un examen. Il est très découragé et envisage de tout abandonner. Vous lui écrivez pour lui demander de persévérer, de reprendre ses études et de tenter à nouveau sa chance à la session suivante.

2. L'expression de l'admiration

Quelques expressions de l'admiration devant un travail accompli.

1. Bravo ! — 2. Cela a été fait de main de maître. — 3. C'est tout à fait « pro » (= digne du travail d'un professionnel). — 4. Cela force mon admiration. — 5. Pour un coup d'essai, c'est un coup de maître ! — 6. Je ne peux que t'admirer. — 7. J'admire beaucoup. — 8. Je savais que tu en serais capable. — 9. Tu ne m'as pas déçu. — 10. Tu as vraiment du talent !

Plus familier :

1. Chapeau ! — 2. Tu en as mis un coup ! — 3. Tu t'es vraiment bien débrouillé. — 4. C'est génial ! — 5. C'est super ! — 6. C'est superbe ! — 7. Je suis en totale admiration !

Débat

Bien peu de personnes sont capables d'exprimer leur admiration à quelqu'un pour différentes raisons ; jalousie, envie etc. Pensez-vous que ce soit important de le faire ? Estimez-vous que nous avons besoin du regard des autres pour nous encourager ?

Situation orale

Vous venez d'assister à un concert que vous avez beaucoup apprécié. À la sortie, vous allez voir le chef d'orchestre dans sa loge pour lui exprimer votre admiration.

Travail écrit

Vous venez de visiter une très belle exposition. À la sortie, on vous présente « le livre d'or » pour que vous marquiez quelque chose. Vous écrivez six lignes pour exprimer votre admiration à l'artiste.

3. L'expression de sentiments contraires à l'amour

1 Exercice lexical. Remplacez les pointillés par le mot qui convient choisi dans la liste suivante : antipathie, aversion, haine, hostilité, jalousie, rancœur, rancune, ressentiment, répulsion, vengeance.

1. Il avait été accusé injustement par son instituteur. Pendant des années il a gardé contre lui une .... tenace. — 2. Ils étaient deux frères. Les égards de la mère pour l'aîné excitaient sans cesse la .... du plus jeune. — 3. Il avait une .... certaine pour les mathématiques. — 4. Elle nourrissait une .... implacable

envers ceux qui avaient trahi son mari. — 5. Son état d'ébriété permanent inspirait de la .... à ceux qui l'approchaient de trop près. — 6. Ses propos trahissaient une .... évidente contre ses collègues qui n'avaient pas eu le courage de le soutenir. — 7. Je ne peux pas dire que cet homme soit particulièrement déplaisant, mais je ne sais pas pourquoi j'éprouve pour lui une .... difficile à surmonter. — 8. Depuis qu'il est entré dans cette entreprise il est en butte à l' .... de ses collaborateurs. — 9. Toute sa vie il a éprouvé un .... légitime contre son père qui, à son gré, ne l'avait pas assez aimé. — 10. Son frère a été tué par un ivrogne. Sa révolte ne s'apaisera que lorsqu'elle aura eu sa ....

2 Exercice lexical. Vingt traits de caractère qui empêchent d'avoir des amis.

Écrivez des phrases en style direct qui caractériseront chacune de ces situations.

Ex. : L'**indélicatesse** : « Stéphanie m'a confié qu'elle allait quitter son copain. Il ne le sait pas encore. Elle en a trouvé un qui est beaucoup mieux. Je te le dis mais ne le répète à personne évidemment. »

1. L'avarice. — 2. La curiosité. — 3. L'égocentrisme. — 4. L'égoïsme. — 5. L'envie. — 6. La jalousie. — 7. L'incompréhension. — 8. L'indifférence. — 9. L'indiscrétion. — 10. L'indisponibilité. — 11. L'intolérance. — 12. L'hypocondrie. — 13. Le manque de centres d'intérêt. — 14. Le manque de ponctualité. — 15. La médisance. — 16. La mélancolie. — 17. Le mensonge. — 18. L'orgueil. — 19. Les plaintes permanentes. — 20. La vantardise.

6 Travaux pratiques. Savoir exprimer que l'on sait partager la joie des autres.

1 Travail écrit

Vous recevez le faire-part de naissance suivant :

Michel et Élisabeth Besson
Guillaume et Benoît
ont la grande joie de vous annoncer la naissance de
Marie-Cécile

Vous rédigez une lettre pour exprimer à ce jeune couple combien vous partagez leur joie. (Évitez toutes les phrases conventionnelles).

2 Travail oral

Vos grands-parents vont bientôt fêter leurs noces d'or. On vous charge de leur faire un petit discours au cours duquel vous évoquerez ces cinquante ans de vie commune, les peines et les joies partagées, la tendresse qu'ils portent à leurs enfants et petits-enfants, etc.

Texte

Des milliers de textes d'amour auraient pu être choisis tant c'est le sujet le plus répandu dans toutes les littératures. Dans ce poème, Arthur Rimbaud (1854-1891) évoque l'attente confuse de l'amour chez l'adolescent, à une époque où les sentiments se taisent malgré leur violence. Tout est dit en allusions et en nuances.

ROMAN

I

On n'est pas sérieux, quand on a dix-sept ans.
– Un beau soir, foin[1] des bocks et de la limonade,
Des cafés tapageurs aux lustres éclatants !
– On va sous les tilleuls verts de la promenade.

Les tilleuls sentent bon dans les bons soirs de juin !
L'air est parfois si doux, qu'on ferme la paupière ;
Le vent chargé de bruits – la ville n'est pas loin, –
À des parfums de vigne et des parfums de bière...

II

– Voilà qu'on aperçoit un tout petit chiffon
D'azur sombre, encadré d'une petite branche,
Piqué d'une mauvaise étoile, qui se fond
Avec de doux frissons, petite et toute blanche...

Nuit de juin ! Dix-sept ans ! – On se laisse griser.
La sève est du champagne et vous monte à la tête...
On divague ; on se sent aux lèvres un baiser
Qui palpite là, comme une petite bête...

III

Le cœur fou Robinsonne[2] à travers les romans,
– Lorsque dans la clarté d'un pâle réverbère,
Passe une demoiselle aux petits airs charmants,
Sous l'ombre du faux col effrayant de son père...

1. Interjection qui marque le mépris, le rejet.
2. Va tout seul à l'aventure. Verbe tiré du nom de Robinson Crusoë.

Et, comme elle vous trouve immensément naïf,
Tout en faisant trotter ses petites bottines,
Elle se tourne, alerte et d'un mouvement vif…
– Sur vos lèvres alors meurent les cavatines[3]…

IV

Vous êtes amoureux. Loué jusqu'au mois d'août.
Vous êtes amoureux. – Vos sonnets La font rire.
Tous vos amis s'en vont, vous êtes mauvais goût.
– Puis l'adorée, un soir, a daigné vous écrire !…

– Ce soir-là,… – vous rentrez aux cafés éclatants,
Vous demandez des bocks ou de la limonade…
– On n'est pas sérieux, quand on a dix-sept ans
Et qu'on a des tilleuls verts sur la promenade.

23 septembre 1870

3. Petite chanson dans un opéra.

La peine, la tristesse, la souffrance

1 Texte de sensibilisation

La souffrance des enfants dans le monde au XXIe siècle

Le monde moderne a sans doute fait beaucoup de progrès mais il semble que, plus que jamais, des milliards d'enfants souffrent dans le monde, victimes bien souvent de la soif d'argent, de la violence ou des caprices sexuels des adultes.

Des millions d'enfants sont entraînés chaque jour dans la folie meurtrière des guerres ; ils sont orphelins, ils ont peur au point d'être cassés psychologiquement, ils souffrent à tout moment dans leur corps d'une faim destructrice qui les tenaille et les affaiblit définitivement. Ils ne seront jamais scolarisés. Une misérable survie sera le but unique de toute leur courte existence. Certains n'ont pas d'autres ressources que de passer leur enfance à fouiller des monceaux d'ordures pour trouver leur subsistance.

Des millions d'enfants sont mutilés définitivement pour avoir sauté sur une mine antipersonnelle enfouie dans la terre par des adultes conscients du mal qu'ils allaient produire.

D'autres sont contraints de se prostituer dans les villes où le tourisme sexuel amène par *charters* entiers des clients riches, friands de ces petits êtres dont la possibilité de manger est soumise aux fantasmes d'adultes sans scrupules… puisqu'ils ont de l'argent.

Dans d'autres pays, des millions d'enfants de moins de dix ans sont soumis à une implacable loi du travail qui les contraint à passer quinze ou vingt heures par jour à user leur santé pour fabriquer des objets de luxe ou de pacotille qui seront vendus à bas prix dans les grandes villes du monde riche. Ils n'entendront pas des adultes nantis s'exclamer avec un sourire de satisfaction : « Cette petite nappe toute brodée, je l'ai eue pour rien du tout ! »

Des milliers d'enfants, même dans les pays soi-disant civilisés doivent encore mendier dans les couloirs de métro et dans les rues, sans compter tous ceux qui sont battus à la maison, violés, martyrisés, victimes du déséquilibre des adultes.

Quand on a huit ou neuf ans, la vie devrait être une fête alors que pour des millions d'enfants elle n'est souvent qu'un long cortège de jours de malheurs et de peines, la plupart du temps vécus dans le silence et la peur.

On voudrait pouvoir crier à l'humanité que la première de ses tâches serait de penser aux souffrances des enfants ; ils n'ont pas demandé à vivre et avant même d'arriver à l'âge adulte, ils sont déjà marqués par le malheur, la haine, les privations de toutes sortes ; on voudrait implorer la pitié du monde entier pour ces pauvres petits qui, sous tous les cieux, ne peuvent plus sourire par la simple faute des hommes. On se sent totalement impuissant devant tant de souffrances: pourtant avons-nous le droit de fermer les yeux devant ce qui est de plus en plus évident et de nous contenter de notre petit confort quotidien dans lequel nos propres enfants ont tant de jouets inutiles, qu'ils ne les regardent même plus?

Inventaire

1. Dans ce texte plusieurs causes de la souffrance des enfants dans le monde sont évoquées. Pouvez-vous les citer?
2. Relevez tous les mots qui impliquent la souffrance.

2 Les outils grammaticaux

Comme tous les verbes de sentiments, les verbes qui expriment la peine ou la souffrance sont suivis:

1. Du subjonctif si le sujet du verbe principal et le sujet du verbe de la subordonnée sont différents.

Ex.: Je suis très peiné que tu m'aies caché tes projets.

2. De l'infinitif si le sujet des deux verbes est le même.

Ex.: Je suis très peiné d'avoir à te faire des reproches.

3 Les outils lexicaux

1. Quelques expressions verbales

Cela me fait souffrir que, (de) ....
C'est au-dessus de mes forces que (de) ....
C'est douloureux pour moi que (de) ....
C'est très dur pour moi que (de) ....
C'est éprouvant pour moi que (de) ....
C'est insupportable pour moi que (de) ....
C'est triste pour moi que (de) ....
J'ai de la peine que (de) ....
J'ai du chagrin que (de) ....
Je suis affligé que (de) ....
Je suis blessé que (de) ....
Je suis consterné que (de) ....
Je suis désolé que (de) ....
Je suis navré que (de) ....
Je suis peiné que (de) ....
Je suis triste que (de) ....

2. Quelques substantifs

L'affliction, une blessure, un calvaire, un chagrin, le déchirement, la détresse, un deuil, un enfer, l'horreur, un malaise (physique ou intérieur), un malheur, une peine, une plaie, une torture (physique ou mentale).

3. Quelques réponses humaines devant la souffrance

Substantifs : l'acceptation, le refus, la résignation, la révolte.

Les expressions verbales : 1. Éprouver une souffrance, une peine, etc. — 2. Endurer une souffrance. — 3. Hurler de douleur. — 4. Pleurer. — 5. Ressentir une grande tristesse. — 6. Se sentir en deuil. — 7. Souffrir. — 8. Souffrir le martyre. — 9. Subir un malheur.

1. Assumer. — 2. Avoir une grande force de résistance. — 3. Faire face. — 4. Lutter de toutes ses forces. — 5. Ne pas accepter. — 6. Se battre contre le malheur. — 7. Se débattre dans la souffrance. — 8. Se révolter contre la souffrance.

Langage plus familier :

1. Ne pas comprendre ce qui vous arrive. — 2. Ne pas voir le bout du chemin. — 3. Ne pas voir le bout du tunnel. — 4. Ne pas voir la fin d'un calvaire. — 5. Ne plus avoir une lueur d'espérance. — 6. Être au fond du gouffre. — 7. Toucher le fond. — 8. Être au creux de la vague.

4. Les attitudes humaines devant la souffrance des autres

1. Accompagner quelqu'un. — 2. Aider quelqu'un dans sa traversée du désert. — 3. Apporter un rayon de soleil. — 4. Consoler. — 5. Comprendre. — 6. Dire des paroles réconfortantes. — 7. Donner un peu d'adoucissement. — 8. Entourer quelqu'un d'amitié (d'affection). — 9. Partager une souffrance. — 10. Réconforter. — 11. Trouver le mot qui fait du bien.

1. Être impuissant devant la souffrance de quelqu'un. — 2. Ne pas trouver les mots qu'il faudrait. — 3. Enfoncer le couteau dans la plaie. — 4. Raviver une souffrance. — 5. Réveiller une douleur. — 6. Manquer de délicatesse. — 7. Faire saigner une plaie. — 8. Se montrer indifférent.

4 Pour communiquer

1 Répondez aux questions suivantes (ou à une des questions suivantes) et organisez un débat autour de cette réponse.

a) Pensez-vous que l'on puisse vraiment partager la peine de quelqu'un ?

b) Connaissez-vous des moyens non verbaux de faire comprendre à quelqu'un qu'on partage sa peine ?

c) L'aveu d'une souffrance personnelle est-elle un manque de pudeur?
d) Quelles sont les coutumes de deuil dans votre pays?

2 Face à des situations concrètes, que répondez-vous pour donner du réconfort?

a) On vous dit: « J'en ai assez; tout est trop lourd pour moi, j'en ai trop sur le dos; c'est trop dur. » Vous répondez: ....

b) On vous dit: « L'homme que j'aime vient de me quitter. Je ne m'en remettrai jamais; j'ai trop de chagrin. »Vous répondez: ....

c) *On vous dit*: « Je viens d'être cambriolé. On m'a volé les objets auxquels je tenais le plus. Je suis traumatisé et j'ai peur chez moi maintenant. » Vous répondez: ....

d) On vous dit: « J'ai l'impression d'avoir raté ma vie. Tout s'arrête pour moi maintenant. Je n'ai plus goût à rien. » Vous répondez: ....

e) On vous dit: « Je viens d'apprendre que j'ai une maladie grave. J'ai peur de ne pas m'en sortir. Les mois qui viennent me font peur. » Vous répondez: ....

5 Exercices écrits

1 Savoir exprimer une peine

Exprimez des sentiments avec les fragments de phrases suivants: vous pouvez ajouter les sujets et les verbes de votre choix.

Ex.: Être ulcéré/ne pas être invité.
Mon ami a été ulcéré de ne pas avoir été invité au mariage de sa cousine.

1. Être peiné/dire du mal de lui. — 2. Être chagriné/ne pas avoir su que. — 3. Être navré/avoir un malentendu. — 4. Souffrir/parents divorcés. — 5. Ne pas comprendre/avoir menti. — 6. Pleurer/quitter son enfant. — 7. Souffrir/être égoïste. — 8. Accuser le coup/faire un mauvais mariage. — 9. Être dans l'affliction/mourir. — 10. Faire la grimace/rester à la maison.

2 Exprimer sa déception

Rassemblez les fragments de phrases suivants afin de construire une phrase exprimant une déception.

1. Je me plains/j'ai été lésé dans cette affaire. — 2. J'ai perdu mes illusions/j'ai vu que je ne pouvais pas compter sur mon frère. — 3. Je suis triste/mes enfants sont ingrats. — 4. Je suis blessé/je n'ai pas été consulté. — 5. Je suis déçu/mon collègue a déjoué mes plans. — 6. Je suis désappointé/je ne sais pas ce que je dois faire. — 7. Je suis désolé/je ne peux pas t'aider en cette circonstance. — 8. Je suis navré/ma femme ne peut pas nous accompagner. — 9. Je suis triste/ma meilleure amie a oublié mon anniversaire. — 10. Je suis ulcéré/mon neveu s'est marié sans rien me dire.

3 Exercice lexical. Les substantifs de la déception.

Remplacez les pointillés par un des mots suivants : l'aigreur ; l'amertume ; un déboire ; une déception ; une déconvenue ; le désenchantement ; le désappointement ; une désillusion ; un échec ; la morosité.

1. Quoi qu'il dise, on sent toujours dans ses propos un fond .... — 2. Il a embauché un jeune employé qui ne lui a causé que des .... — 3. Il comptait se marier avec une fille ; quand il a appris qu'elle allait se marier avec un autre il a eu une cruelle .... — 4. Il ne cesse de ruminer ses ennuis ce qui ramène dans ses propos une .... permanente. — 5. Quand le comédien a vu que personne ne l'applaudissait car il avait été mauvais ce soir-là, il a éprouvé une grande .... — 6. Depuis sa déception amoureuse, il ne parle de l'amour qu'avec .... — 7. Il n'a pu masquer son .... quand il a vu que c'était son collègue qui était nommé au poste qu'il convoitait. — 8. Il était cadre commercial ; il a été renvoyé en raison de sa mauvaise gestion ce qu'il a considéré comme l' .... de sa vie. — 9. Il voulait organiser un grand plan de comptabilité, mais il est allé de .... en .... et finalement tout a été annulé. — 10. Il vit dans une grande solitude ; il en résulte chez lui un sentiment permanent de ....

6 Pour aller plus loin

1 Exercice lexical. Quelques différentes natures de la souffrance.

Remplacez les pointillés par un des mots suivants : affliction, atrocités, blessure, déchirement, deuil, enfer, mal, mélancolie, peine, souffrance.

1. Quand on vient de perdre un être cher, on est en .... — 2. La mort d'un être cher vous laisse dans l' .... — 3. Tout ce qu'on peut lui dire n'aboutit qu'à augmenter son .... — 4. Les réfugiés du monde entier sont marqués par toutes les .... auxquelles ils ont assisté. — 5. Ses paroles ont ouvert au fond de mon cœur des .... qui ne se fermeront jamais. — 6. Quand elle a dû quitter sa famille pour aller travailler sur un autre continent, cela a été pour elle un véritable .... — 7. Tu viens de dire une phrase qui m'a fait une grande .... — 8. C'est un enfant très sensible ; la moindre réflexion déclenche chez lui des .... démesurées. — 9. Quand ses parents se disputent devant lui il a l'impression de vivre un véritable .... — 10. Il a souvent le cafard, on ne sait pas bien pourquoi ; la .... est devenue chez lui une seconde nature.

2 Exercice lexical. Le regret d'avoir fait souffrir quelqu'un : le pardon.

Voici quelques phrases utilisées dans des situations de pardon reçu ou donné. Insérez-les dans un contexte concret.

1. Je m'excuse (ou excuse-moi). — 2. Je ne voulais pas te peiner. — 3. Je n'avais pas compris que cela pouvait te faire du mal. — 4. Je suis désolé de t'avoir causé des souffrances. — 5. Je ne recommencerai plus. — 6. Je n'avais pas imaginé te blesser.

1. C'est fini, on n'en parle plus. — 2. Ne t'en fais pas. — 3. On fait comme si rien ne s'était passé. — 4. On passe l'éponge. — 5. On oublie tout. — 6. On repart à zéro.

7 Travaux pratiques

Vous êtes journaliste. Vous êtes chargé de faire un reportage sur la misère dans les grandes villes. Vous vous rendez dans un quartier déshérité de la ville la plus proche de votre domicile et vous écrivez un article sur ce que vous voyez.

Vous êtes économiste. Vous relevez dans plusieurs journaux des articles sur la vie quotidienne dans certaines banlieues et vous rédigez un article de synthèse pour pouvoir présenter un rapport circonstancié.

Texte

LA SOUFFRANCE DEVANT LA MORT

Le père du jeune musicien Jean-Christophe vient de mourir.

La maison était plongée dans le silence. Depuis la mort du père, tout semblait mort. Maintenant que s'était tue la voix bruyante de Melchior, on n'entendait plus, du matin au soir, que le murmure lassant du fleuve.

Christophe s'était rejeté dans un travail obstiné. Il mettait une rage à se punir d'avoir voulu être heureux. Aux condoléances et aux mots affectueux, il ne répondait rien, raidi dans son orgueil. Il s'acharnait à ses tâches quotidiennes et donnait ses leçons avec une attention glacée. Ses élèves qui connaissaient son malheur étaient choqués de son insensibilité. Mais ceux qui, plus âgés, avaient quelque expérience de la douleur, savaient ce que cette froideur apparente pouvait chez un enfant, dissimuler de souffrance, et ils avaient pitié. Il ne leur savait point gré de leur sympathie. La musique même ne lui apportait aucun soulagement. Il en faisait sans plaisir, comme un devoir. On eût dit qu'il trouva une joie cruelle à ne plus avoir de joie à rien, ou à se le persuader, à se priver de toutes les raisons de vivre, et à vivre pourtant…

Jean-Christophe, à travers le comportement de sa mère, comprend son chagrin et cherche à soulager sa peine.

Il la surprit un jour au milieu de ses chiffons répandus sur le parquet, entassés à ses pieds, remplissant ses mains et couvrant ses genoux. Elle avait le cou tendu, la tête penchée en avant, le visage rigide. En l'entendant entrer, elle eut un tressaillement : une rougeur monta à ses joues blanches ; d'un mouvement instinctif, elle s'efforça de cacher les objets qu'elle tenait, et elle balbutia avec un sourire gêné :
– « Tu vois, je rangeais… »

Il eut la sensation poignante de cette pauvre âme échouée parmi les reliques de son passé et il fut saisi de compassion. Pourtant il prit un ton un peu brusque et grondeur afin de l'arracher à son apathie :

– « Allons, maman, allons, il ne faut pas rester ainsi, au milieu de cette poussière dans cette chambre fermée ! Cela fait du mal. Il faut se secouer. Il faut en finir avec ces rangements. »
– « Oui », dit-elle docilement.

Elle essaya de se lever pour remettre les objets dans le tiroir. Mais elle se rassit aussitôt, laissant tomber avec découragement ce qu'elle avait pris.
– « Je ne peux pas, je ne peux pas, gémit-elle, je n'en viendrai jamais à bout ! »

Il fut effrayé. Il se pencha sur elle, il lui caressa le front avec ses mains.

– « Voyons, maman, qu'est-ce que tu as ? dit-il. Veux-tu que je t'aide ? Est-ce que tu es malade ? »

Elle ne répondit pas. Elle avait une sorte de sanglot intérieur. Il lui prit les mains, il se mit à genoux devant elle pour mieux la voir dans la demi-ombre de la chambre ?
– « Maman » dit-il, inquiet…
– « Je ne sais pas, je ne sais pas ce que j'ai. »

Elle faisait un effort pour se calmer et sourire.
– « J'ai beau me raisonner ; pour un rien, je me remets à pleurer… Tiens, tu vois, je recommence… Pardonne-moi. Je suis bête. Je suis vieille. Je n'ai plus de force. Je n'ai plus goût à rien. Je ne suis plus bonne à rien. Je voudrais être enterrée avec tout cela. »…

Il la pressait contre son cœur, comme un enfant.
« Ne te tourmente pas, repose-toi, ne pense plus… »

Elle s'apaisait peu à peu.
– « C'est absurde, j'ai honte… Mais qu'est-ce que j'ai ? Qu'est-ce que j'ai ? »

Cette vieille travailleuse ne parvenait pas à comprendre pourquoi sa force s'était tout à coup rompue ; et elle en était humiliée. Il feignit de ne pas s'en apercevoir.
– « Un peu de fatigue, maman, dit-il, tâchant de prendre un ton indifférent. Cela ne sera rien, tu verras… »

Mais il était inquiet aussi. Depuis l'enfance, il était habitué à la voir vaillante, résignée, silencieusement résistante à toutes les épreuves. Et cet abattement lui faisait peur.

Il l'aida à ranger les affaires éparses sur le plancher. De temps en temps elle s'attardait à un objet : mais il lui prenait les mains doucement, et elle le laissait faire.

Romain Rolland. *Jean-Christophe.*

Inventaire

Relevez les détails concrets qui traduisent les sentiments
a) De Jean-Christophe ? — b) De sa mère ?
Comment l'un et l'autre dissimulent-ils leurs sentiments ?

L'expression du temps

Partie 4

Dossier 12

L'expression de l'antériorité

Texte de sensibilisation

LES TRANSPORTS IL Y A DEUX CENTS ANS

Autrefois, il n'était pas facile de traverser la France car les moyens de transports étaient précaires. Jusqu'au moment où la découverte des chemins de fer a transformé les conditions de voyage, il fallait beaucoup de courage pour se mettre en route. Et pourtant l'inconfort et le temps n'arrêtaient pas les voyageurs puisque, dit-on, les routes étaient sillonnées constamment par des marchands, des colporteurs, des curieux, des explorateurs, des musiciens, des comédiens ambulants, des pèlerins. Le temps ne comptait pas. On pouvait mettre trois jours pour faire quarante kilomètres, changer une dizaine de fois de chevaux, être cahotés dans une diligence dure et inconfortable : tout était bon pour ces hommes hardis qui ne craignaient ni la fatigue, ni la pluie, ni la neige, ni le soleil. De nos jours, les récits de ces interminables périples au XVIIIe ou XIXe siècle nous intéressent vivement par des détails qui nous amusent ou nous font frémir.

L'un de ces voyageurs anonymes, un musicien ambulant particulièrement pauvre, a noté tous les détails de son parcours entre Paris et Chalon-sur-Saône. En attendant le moment du départ, il avait dû s'installer longtemps à l'avance dans une auberge où il était obligatoire de consommer des boissons d'un prix très élevé. Jusqu'au moment du départ de la diligence, il avait dû commander à plusieurs reprises de nouvelles boissons si bien qu'avant même d'avoir mis le pied à l'intérieur de la voiture, il avait déjà dépensé la plus grande partie des ressources de sa pauvre bourse.

Les valets s'étaient évidemment précipités pour lui porter ses malles qu'il était tout à fait en état de porter lui-même ; il avait donc dû leur donner des pourboires exorbitants. À chaque relais (de Paris à Chalon-sur-Saône, il y en avait 22 !), il avait encore fallu donner de nouveaux pourboires aux postillons, manger à la table d'hôte avec des menus coûteux prêts à l'avance pour un prix fixe. En attendant le moment où le postillon voulait bien se décider à remonter sur son siège, il fallait attendre de longues heures à écouter les valets se plaindre de ne pas recevoir assez d'argent. Le soir on s'arrêtait souvent dans des auberges la plupart du temps misérables où dès qu'on avait éteint sa chandelle, des nuées de punaises venaient vous piquer jusqu'au lever du jour.

Un certain soir, le cabriolet s'était engagé en pleine nuit dans une forêt obscure et comme le postillon avait décidé de ménager ses chevaux, il avait fait descendre les voyageurs de voiture. Jusqu'au moment où le cocher s'était enfin décidé à reprendre convenablement la route, ils avaient dû suivre la diligence à pied. En attendant, ils avaient dû marcher sur une route givrée à la seule clarté de la lune; à peu de distance de leur petite caravane, ils avaient entendu les hurlements des loups et les fracas des torrents; au bout de quelques heures, ils avaient crié grâce; épuisés de fatigue, ils avaient dû ramasser des brindilles dans l'obscurité, avant de pouvoir dormir quelques heures dans une cabane perdue; il leur fallut allumer un méchant feu de bois en pleine nuit pour se réchauffer un peu avant de pouvoir s'étendre par terre, tant leurs membres étaient glacés.

Malgré tant de péripéties, ce pauvre musicien qui a fini par arriver en Italie au bout d'un trajet de plus d'un mois, est toujours resté gai et plein d'humour dans ses réflexions.

Repérage

1. Quelle est la profession de ce voyageur?
2. Les gens circulaient-ils beaucoup au moment des diligences?
3. Dans ce texte au passé, distinguez ce qui est habituel et ce qui est occasionnel.
4. Soulignez toutes les expressions qui marquent l'antériorité.

2 Les outils grammaticaux

L'expression de l'antériorité indique qu'une action a lieu avant une autre action. Elle s'exprime:

1. Par l'emploi d'un temps en relation généralement avec un autre temps.

– Le plus-que-parfait fonctionne généralement avec l'imparfait mais il peut être employé aussi avec le présent ou le passé composé.

Ex.: Quand il avait fini de déjeuner, il lisait son journal.
L'anniversaire de Matthieu a été une réussite car nous avions invité tous les amis que nous aimons particulièrement.

– Le passé composé fonctionne généralement avec le présent.

Ex.: Je lis le magazine que nous avons acheté hier.

– Le futur fonctionne en général avec le futur antérieur.

Ex.: Il viendra quand tu l'auras invité.

2. Par les locutions conjonctives suivantes suivies de l'indicatif.

a) Avant le moment où: Le pianiste a travaillé longuement son concerto avant le moment où il l'a donné en concert.

b) En attendant le moment où : En attendant le moment où il rentrera, je termine ce travail

c) Jusqu'au moment où : Tu m'attendras sur ce banc jusqu'au moment où je viendrai te chercher (ici l'antériorité est exprimée par une durée en relation avec un moment précis).

3. Par les locutions suivantes suivies du subjonctif.

a) Avant que (+ ne explétif) : Je vais faire un bon gâteau pour le dessert avant qu'ils ne viennent.

b) Jusqu'à ce que : Nous marcherons jusqu'à ce que vous soyez fatigués.

c) En attendant que : En attendant que les vacances soient finies, les enfants jouent tous les jours dans le jardin.

d) Du plus loin que : Du plus loin que je me souvienne je revois la tendresse du sourire de ma mère.

e) D'ici à ce que : D'ici à ce que tu reviennes, j'ai le temps de te préparer une surprise.

4. Par les locutions suivantes suivies de l'infinitif.

a) Avant de : Avant de partir, tu éteindras l'électricité.

b) En attendant de : Je t'emprunte ton crayon en attendant de retrouver le mien.

3 Les outils lexicaux

1. Quelques adverbes ou locutions adverbiales de temps

a) Des marqueurs de temps.

1. À un moment donné. — 2. Auparavant. — 3. Autrefois. — 4. Avant. — 5. Dans le temps. — 6. Jadis (temps lointain). — 7. Lors. — 8. Naguère (temps récent). — 9. Peu de temps avant. — 10. Très longtemps avant, etc.

b) Les expressions qui signifient : il y a bien longtemps.

1. Il y a longtemps que… — 2. Il y a beau temps que… — 3. Il y a belle lurette que… (lurette : mot qui vient de l'ancien français heurette = petite heure). — 4. Cela fait un bail ! — 5. Depuis toujours.

2. Quelques expressions qui marquent précisément le temps

1. À peu de temps de là. — 2. Dans ma jeunesse. — 3. De mon temps. — 4. Il était une fois. — 5. Il y a (deux) ans. — 6. Il y a peu de temps. — 7. Il y a quelques années. — 8. Il y a très longtemps. — 9. Juste avant. — 10. L'année (le mois, la semaine) dernière. — 11. Longtemps avant. — 12. Peu de temps auparavant. — 13. Peu de temps avant. — 14. Un jour. — 15. Un soir, etc.

3. Quelques substantifs

a) Quand le passé devient présent :

Une évocation, la mémoire, un rappel, un récit, une réminiscence, un souvenir, un projet, etc.

b) Notre attitude vis-à-vis du passé :

Le bon temps, la fuite du temps, la nostalgie, la mélancolie, le regret, etc.

c) Les périodes de notre passé humain :

La petite enfance, le premier âge, l'enfance, l'adolescence, l'âge adulte, la maturité, la vieillesse, le troisième âge, le quatrième âge, etc.

Un quadragénaire (40 ans), un quinquagénaire (50 ans), un sexagénaire (60 ans), un septuagénaire (70 ans), un octogénaire (80 ans), un nonagénaire (90 ans), un centenaire (100 ans).

d) Le passé de l'humanité :

Un âge (l'âge de pierre, l'âge de bronze), une année (en 1515, en l'an 2004), une ère (l'ère secondaire ou quaternaire), une période (à cette période ; en une période de dix ans), un siècle…

4 Pour communiquer

1 Répondez aux questions suivantes

1. Quand quelqu'un s'est coupé à la main et qu'il saigne très fort, que faut-il faire **en attendant** les secours d'un médecin ? — 2. Quand un enfant aime les histoires et qu'il ne sait pas encore lire, que faut-il faire **jusqu'à ce qu'**il sache lire couramment ? — 3. **Avant de** prendre le volant d'une voiture pour la première fois, que faut-il faire ? — 4. **En attendant le moment** où l'on est capable d'exercer un métier, que faut-il faire ?

2 Quelle attitude avez-vous envers le passé ?

Réponse 1 2 3

Prenez-vous des photos ?
- Lors de tous les événements de votre vie
- Quelquefois
- Jamais

....

Regardez-vous des vieux films de votre enfance ?
- Souvent
- Quelquefois
- Jamais

....

Jetez-vous les lettres que vous avez reçues?
- Toujours
- Rarement
- Jamais

....

Lorsque vous êtes en voyage ou en promenade, ramassez-vous des fleurs pour les faire sécher, en souvenir?
- Toujours
- Rarement
- Jamais

....

Évoquez-vous souvent avec des amis des souvenirs de votre vie?
- Souvent
- Rarement
- Jamais

....

Gardez-vous dans votre armoire des vêtements que vous n'avez pas mis depuis plus de deux ans?
- Oui, je ne jette rien. Cela peut toujours servir un jour.
- Non, j'ai besoin de place pour mes vêtements actuels.
- Cela dépend.

....

Aimez-vous réécouter les chansons qui ont bercé votre enfance?
- Oui cela me fait plaisir.
- Non, cela me donne le cafard.
- J'aime mieux en entendre de nouvelles.

....

Si vous cassez un objet sans valeur marchande mais qui vous a été donné comme marque d'affection, dites-vous:
- Je suis catastrophé.
- Bof! Cela ne valait pas grand-chose!
- Je rachèterai le même

....

On vous donne l'adresse d'un ami que vous n'avez pas vu depuis plus de dix ans:
- Vous lui téléphonez immédiatement.
- Vous vous dites: cela ne m'intéresse pas.
- Vous vous dites: s'il ne s'est pas manifesté depuis si longtemps c'est qu'il n'a pas d'amitié pour moi.

....

Avez-vous gardé des jouets ou des livres de votre enfance?
– Oui, presque tous.
– Aucun.
– Je n'aurais pas de place chez moi pour les garder.
....

Total

Si vous totalisez entre 8 et 10 points pour la réponse 1 vous êtes amoureux de votre passé et trop nostalgique. Vous risquez de souffrir souvent dans la vie.
Si vous totalisez entre 5 et 8 points pour la réponse 1, c'est une bonne moyenne; vous ne reniez rien mais vous êtes réaliste, ancré dans le présent.
Si vous avez moins de cinq points pour la réponse 1, vous avez peut-être le cœur un peu dur…

Débat

Le passé que nous avons vécu est-il dynamisant ou stérilisant? Quelle part doit-il avoir dans notre vie? Donnez des exemples.

5 Exercices écrits

1 Transformez les phrases suivantes en remplaçant le nom par un subjonctif ou un infinitif.

Ex.: J'ai besoin de te parler avant ton départ
J'ai besoin de te parler avant que tu ne partes.

1. J'ai besoin de me reposer avant le voyage. — 2. J'ai un coup de téléphone à donner avant mon repas de midi. — 3. Le chauffard avait trop bu avant son accident. — 4. L'automne est bien beau avant la chute des feuilles. — 5. Les agriculteurs ont du souci avant la moisson. — 6. On craint toujours la pluie avant les vendanges. — 7. J'espère une lettre de toi avant ton retour. — 8. Avant votre choix définitif, je tiens à ce que vous voyiez tous nos modèles. — 9. Avant le début du tour de France, les coureurs sont anxieux. — 10. Avant le baisser de rideau, les comédiens sont venus saluer le public.

2 Établissez des rapports d'antériorité entre les énoncés suivants. Écrivez la phrase en entier.

Ex.: Partir/réserver des places dans l'avion (il faut).
Avant de partir, il faut réserver des places dans l'avion.
Avant que nous ne partions, il faut réserver les places dans l'avion.

1. Acheter un bon livre de recettes/faire la cuisine (il faut). — 2. Revenir/avoir le temps de faire une course (tu, je). — 3. Apprendre à tenir le volant/devoir connaître le code de la route (tu, tu). — 4. Attendre le jour de Noël/préparer un sapin avec des boules multicolores (il faut, en + gérondif). — 5. Tomber malade/être déjà surmené (il, il). — 6. Partir en voyage/laisser les clés à la concierge (nous, nous). — 7. Se souvenir/revoir la tapisserie de sa chambre d'enfant (il, il). — 8. Savoir parler le français parfaitement/devoir apprendre la grammaire (nous, nous). — 9. Savoir lire/regarder des livres d'images (l'enfant). — 10. Aller au cinéma/finir de ranger ma bibliothèque (je, je).

3 Sachez utiliser les expressions de l'antériorité.

À peu de temps de (là); auparavant; avant; dans le temps; de mon temps; il y a quelque temps; il y a longtemps; jadis; juste avant; naguère; lors; peu de temps avant. Employez-les dans les phrases suivantes.

1. .... on passait la veillée au coin de la cheminée car c'était le seul endroit où il faisait chaud dans les maisons. — 2. .... j'ai bien connu cette personne. — 3. .... on ne compostait pas les billets de chemin de fer. — 4. .... les jeunes filles sages se faisaient des tresses. — 5. Je me suis fait une entorse; .... je m'étais déjà fait une entorse à la même cheville. — 6. .... au cours d'un voyage, j'ai rencontré l'homme de ma vie. — 7. .... les vacances, j'ai été hospitalisé. — 8. .... notre rencontre, j'avais fait la connaissance de Pierre. — 9. .... de notre entretien, je vous ai dit tout le bien que je pensais de cette personne. — 10. .... de partir, je veux régler mes dettes.

4 Terminez les phrases suivantes en marquant l'antériorité.

1. Il a fermé l'électricité avant de .... — 2. Je t'attendrai jusqu'à ce que .... — 3. Elle a pleuré jusqu'au moment où .... — 4. Je veux te lire cet article avant que tu .... — 5. Du plus loin que ...., je me rappelle la naissance de mon petit frère. — 6. .... le départ du train, elle lisait. — 7. Il a eu un accident .... son examen. — 8. Je regarde la télévision en attendant .... — 9. En attendant qu'elle .... je vais me promener. — 10. .... que nous puissions partir, elle fera des devoirs de vacances. — 11. .... qu'il ne sache la nouvelle, je veux prévenir mes parents. — 12. .... je revienne en France, il passera de l'eau sous les ponts.

5 On vous donne deux actions. Faites une phrase dans laquelle vous montrerez qu'une action a eu lieu avant l'autre. Variez le plus possible les tournures.

Exemple:
Action a: devoir réserver une place — Action b: prendre le train (tu)
Avant de prendre le train, tu dois réserver une place.

1. — a) Devoir regarder le numéro sur minitel — b) Téléphoner (vous)
2. — a) Devoir s'entraîner — b) Faire du ski (tu)
3. — a) Devoir beaucoup travailler — b) Passer un concours (vous)
4. — a) Devoir préparer — b) Faire une conférence (il)
5. — a) Juger — b) Devoir réfléchir (on)
6. — a) Devoir être sûr de ce qu'on dit — b) Donner la contradiction (elle)
7. — a) Devoir faire beaucoup d'exercices — b) Savoir peindre (on)
8. — a) Devoir beaucoup lire — b) Être cultivé (on)

6 Mettre au passé qui convient, les phrases suivantes en respectant la concordance des temps.

Exemple: Il dit qu'il viendra.
Il a dit qu'il viendrait.

1. Elle pense qu'elle a raison. — 2. Il croit que ses parents sont à la maison. — 3. Nous ne croyons pas ce qu'il nous dit. — 4. Je souhaite qu'il vienne. — 5. Il ne pense pas que sa sœur soit très malade. — 6. Il ne sait pas encore que son chien est mort. — 7. Je reconnais que je n'ai jamais appris le code de la route. — 8. Il est heureux que sa villa soit enfin construite. — 9. Je suis navré que vous n'ayez pu me joindre. — 10. Il est impensable que nous restions plus d'une nuit dans cet hôtel.

7 Dans le texte suivant, mettez le verbe entre parenthèses au temps qui convient.

LE PERROQUET DE FÉLICITÉ

Il (s'appeler) Loulou. Son corps (être) vert, le bout de ses ailes roses, son front bleu et sa gorge dorée. Mais il (avoir) la fatigante manie de mordre son bâton, (s'arracher) les plumes, (éparpiller) ses ordures, (répandre) l'eau de sa baignoire.

Félicité (entreprendre) de l'instruire; bientôt il (répéter): « Charmant garçon! Serviteur, monsieur! Je vous salue Marie. » Il (être placé) près de la porte, et plusieurs (s'étonner) qu'il ne (répondre) pas au nom de Jacquot puisque tous les perroquets (s'appeler) Jacquot. On le (comparer) à une dinde, à une bûche: autant de coups de poignard pour Félicité. Étrange obstination de Loulou ne parlant plus du moment qu'on le (regarder)...

Loulou (avoir reçu) du garçon boucher une chiquenaude... et depuis lors il (tâcher) toujours de le pincer à travers sa chemise. Le garçon boucher (menacer) de lui tordre le cou, bien qu'il ne (être) pas cruel.

... Un matin du terrible hiver de 1837 où Félicité (l'avoir mis) devant la cheminée, à cause du froid elle le (trouver) mort, au milieu de sa cage... Une congestion (l'avoir tué).

D'après Gustave Flaubert, *Un Cœur simple.*

6 Pour aller plus loin

1 L'évocation du passé très lointain. Différentes formules sont possibles : utilisez-les dans des phrases de votre choix afin de les mémoriser.

1. Du plus loin que je me souvienne… — 2. Aussi loin que je remonte dans ma mémoire… — 3. Aussi loin qu'il m'en souvienne… — 4. Il me revient à l'esprit… — 5. En remontant très loin dans mon passé… — 6. Aussi loin que remontent mes souvenirs… — 7. Si j'essaie de retrouver mes plus anciens souvenirs…, etc.

7 Texte

LA PETITE MADELEINE DE PROUST

Marcel Proust : (1871-1922)

Nous nous trouvons ici en face d'une actualisation du souvenir. À partir de la conscience d'une sensation fournie par un objet concret du présent, toute une série de souvenirs vont s'enchaîner jusqu'à la reconstitution presque complète de tranches du passé. Ce texte est un des plus célèbres de la littérature française et a donné naissance au mythe de « la petite madeleine » : Proust adulte a l'occasion de boire une tasse de tilleul accompagnée d'un petit gâteau appelé « madeleine ». À partir de ce goût, son passé ressurgit à son esprit.

Et tout d'un coup le souvenir m'est apparu. Ce goût c'était celui du petit morceau de madeleine que le dimanche matin à Combray (parce que ce jour-là je ne sortais pas avant l'heure de la messe), quand j'allais lui dire bonjour dans sa chambre, ma tante Léonie m'offrait après l'avoir trempé dans son infusion de thé ou de tilleul. La vue de la petite madeleine ne m'avait rien rappelé avant que je n'y eusse goûté ; peut-être parce que, en ayant souvent aperçu depuis, sans en manger, sur les tablettes des pâtissiers, leur image avait quitté ces jours de Combray pour se lier à d'autres plus récents ; peut-être parce que de ces souvenirs abandonnés si longtemps hors de la mémoire rien ne survivait, tout s'était désagrégé ; les formes – et celle aussi du petit coquillage de pâtisserie, si grassement sensuel, sous son plissage sévère et dévot – s'étaient abolies, ou, ensommeillées, avaient perdu la force d'expansion qui leur eût permis de rejoindre la conscience. Mais, quand d'un passé ancien rien ne subsiste, après la mort des êtres, après la destruction des choses, seules, plus frêles mais plus vivaces, plus immatérielles, plus persistantes, plus fidèles, l'odeur et la saveur restent encore longtemps, comme des âmes, à se rappeler, à attendre, à espérer, sur la ruine de tout le reste, à porter sans fléchir, sur leur gouttelette presque impalpable, l'édifice immense du souvenir.

Et dès que j'eus reconnu le goût du morceau de madeleine trempé dans le tilleul que me donnait ma tante (quoique je ne susse pas encore et dusse remettre à bien plus tard de découvrir pourquoi ce souvenir me rendait si heureux), aussitôt la vieille maison grise sur la rue, où était sa chambre, vint comme un décor de théâtre s'appliquer au petit pavillon, donnant sur le jardin, qu'on avait construit pour mes parents sur ses derrières (ce pan tronqué que seul j'avais revu jusque-là) ; et avec la maison, la ville, depuis le matin jusqu'au soir et par tous les temps, la Place où on m'envoyait avant déjeuner, les rues ou j'allais faire des courses, les chemins qu'on prenait si le temps était beau. Et comme dans ce jeu où les Japonais s'amusent à tremper dans un bol de porcelaine rempli d'eau de petits morceaux de papier jusque-là indistincts qui, à peine y sont-ils plongés s'étirent, se contournent, se colorent, se différencient, deviennent des fleurs, des maisons, des personnages consistants et reconnaissables, de même maintenant toutes les fleurs de notre jardin et celles du parc de M. Swann, et les nymphéas de la Vivonne (1), et les bonnes gens du village et leurs petits logis et l'église et tout Combray (2) et ses environs, tout cela qui prend forme et solidité, est sorti, ville et jardins, de ma tasse de thé.

(1) Rivière qui arrose Combray.
(2) Illiers-Combray : petite ville sur la rive gauche du Loir, non loin de Chartres.

À la recherche du temps perdu, *Du côté de chez Swann*, 1re partie.

Ce texte est difficile mais il se décompose facilement.

Repérage

1. De quoi s'agit-il ?
2. Qui parle ?
3. Quel événement et quelle sensation l'ont amené à évoquer un souvenir ?
4. Remarquez la manière dont s'enchaîne l'évocation des souvenirs.

L'Expression de la simultanéité

1 Texte de sensibilisation

Étrangère parmi les étrangers : mes premières angoisses

Nous avons tous commencé nos études de français le même jour. Quand le professeur a pris la parole pour la première fois, je n'ai rien compris. Pour moi, cela a été la panique totale. « Qu'est-ce que j'étais venue faire ici ? Je ne comprenais rien alors que je croyais avoir de bonnes bases ; je ne m'habituerai jamais à entendre tant de paroles dont je ne devinais même pas le sens... Avec une telle impossibilité de comprendre la moindre chose, comment serait-il possible de faire des progrès un jour ? » Comme notre enseignante avait une voix douce et qu'elle nous souriait beaucoup, j'ai compris au bout d'un moment qu'elle nous souhaitait la bienvenue. J'ai regardé mes nouveaux compagnons. J'ai vite vu qu'eux non plus ne comprenaient rien, malgré la tension d'esprit que je lisais sur leurs visages. Cela m'a rassurée. Nous avons lu un petit texte dont le vocabulaire m'était pratiquement inconnu. Je ne comprenais même pas le sujet dont il était question. Pendant que je me disais que j'étais incapable de suivre cette classe, j'observais les réactions des autres. Visiblement personne ne comprenait de quoi il s'agissait.

Toutes les fois que j'essayais de me faire expliquer quelque chose par mon voisin, il me regardait avec angoisse, et avec un geste impuissant de la main et une grimace significative, il me montrait que rien ne passait pour lui non plus. La seule chose que nous ayons comprise, c'est que le soir, à la maison, nous devions travailler cet article de journal ; je l'ai fait avec ardeur car je savais qu'au même moment les autres avaient leur dictionnaire à la main et travaillaient avec le même soin...

Le lendemain, le professeur a posé des questions sur cet article. Un Chinois a tout de suite répondu tandis que les autres se taisaient. Une Italienne a levé le doigt à l'instant où j'allais moi-même poser une autre question parce que je venais enfin de comprendre le sens d'une phrase qui m'avait complètement échappé jusque-là... À cet instant, on a vu que toute la classe commençait à comprendre un tout petit peu plus que la veille.

Au fur et à mesure que nous avancions dans la lecture du texte, le professeur donnait des explications supplémentaires qui révélaient tout à coup un mot, une phrase, un paragraphe. Chaque fois que nous avions perçu quelque chose de nouveau, notre enseignante visiblement satisfaite, nous posait des questions sur un sujet proche du texte qui devait amener une réponse précise. C'était passionnant de voir progresser tout le groupe, chacun avec un rythme différent, plus ou moins rapide, mais toujours contrôlé par de nouvelles questions qui assuraient la certitude de la compréhension.

Nous avons travaillé ainsi pendant deux semaines. Au bout de ce temps, la classe entière avait acquis un certain nombre de connaissances qui ont permis d'établir les premiers échanges intéressants entre nous et de nous comprendre. À mesure que nous progressions, nous oubliions que nous étions étrangers par nos diversités d'origine; un terrain d'entente de plus en plus complexe et diversifié s'était installé au milieu de notre groupe. À la fin du premier mois, nous avions si bien cheminé et travaillé, que nous avons pu dîner un soir tous ensemble. Quand quelqu'un lançait une plaisanterie en français, tout le monde éclatait de rire; certains répondaient tandis que les autres quelquefois se faisaient expliquer encore ce qui leur avait échappé mais c'était drôle. Finalement nous avons passé une soirée très amusante et riche d'échanges variés. Quand nous nous sommes quittés, six mois plus tard, nous avons échangé nos adresses car nous savions que nous serions capables de traverser le monde pour nous revoir.

Repérage

1. Quelles sont les actions qui se produisent simultanément?
2. À quoi le voyez-vous?
3. Soulignez toutes les expressions ou les mots qui marquent la simultanéité.

2 Les outils grammaticaux

Deux actions sont simultanées lorsqu'elles se déroulent **en même temps,** au présent, au passé ou au futur.

1. On exprime la simultanéité par les conjonctions ou les locutions conjonctives suivantes suivies de l'indicatif.

a) Moment précis: **à la minute où**; **à l'heure où**; **à l'instant où**; **l'année où**; **le jour où**; **au moment où**; **lorsque**; **quand**:

Au moment où tu es arrivé, j'allais sortir.
Quand je suis né, mon frère aîné avait trois ans.

b) Durée moins déterminée: **alors que**; **comme** (en tête de phrase); **pendant que**; **tandis que**:

Comme je partais, le téléphone s'est mis à sonner.
Alors que (tandis que) son mari lit le journal, elle fait la vaisselle (ici la simultanéité est renforcée par une idée d'opposition).

c) Les deux actions commencent ensemble: **depuis que** (ne pas confondre avec l'antériorité; il faut que les deux actions progressent en même temps); **maintenant que**:

Maintenant que (depuis que) j'étudie le français trois heures par jour, je fais des progrès.

d) Les deux actions progressent parallèlement: **à mesure que**; **au fur et à mesure que**:

Au fur et à mesure que (à mesure que) nous progressons dans l'étude de la langue française, nous rencontrons de nouvelles difficultés.

e) Les deux actions ont l'habitude de se produire ensemble : **chaque fois que ; toutes les fois que** :

Chaque fois qu'elle doit passer un examen, elle en est malade à l'avance.

f) Les deux actions se prolongent dans la même durée : **aussi longtemps que ; tant que** :

Tant que (aussi longtemps que) je serai à Paris, je pourrai utiliser le studio que m'a prêté mon ami.

2. On exprime aussi la simultanéité par les expressions suivantes + l'infinitif.

À l'instant de ; au moment de :

Au moment de (à l'instant de) partir, il s'est aperçu qu'il avait perdu ses clés.

3 Les outils lexicaux

1. Les adjectifs de la simultanéité

Concomitant ; contemporain ; simultané ; synchrone…

2. Quelques expressions

Au même pas ; au même rythme ; au pas (marcher) ; conjointement ; de concert ; de conserve ; ensemble ; en même temps ; en mesure ; parallèlement…

4 Pour communiquer

1 Répondez aux questions suivantes

1. Est-ce que vous écoutez la radio en faisant votre toilette ? — 2. Est-ce que vous mettez la télévision quand vous repassez vos chemises ? — 3. Est-ce que vous pouvez continuer à lire pendant qu'on vous parle ? — 4. Est-ce que vous lisez pendant vos voyages ? — 5. Est-ce que vous pouvez vous concentrer sur une conversation tout en faisant une tâche matérielle ?

2 Test. Êtes-vous ponctuel ?

Mettez une croix dans la case correspondant à votre réponse.

1. Lorsque vous avez rendez-vous chez un médecin, arrivez-vous :

☐ a) Cinq minutes à l'avance pour ne pas le faire attendre ?

☐ b) À l'heure pile ?

☐ c) Dix minutes en retard en vous disant que l'attente du patient est toujours trop longue ?

2. Quand vous partez en voyage, faites-vous vos bagages:
- ☐ a) À la dernière minute?
- ☐ b) Huit jours à l'avance?
- ☐ c) La veille?

3. Lorsque vous recevez une lettre, répondez-vous:
- ☐ a) Six mois plus tard?
- ☐ b) Par retour du courrier?
- ☐ c) À force de retarder, vous oubliez de répondre?

4. Allez-vous chez le dentiste:
- ☐ a) Dès que vous avez mal aux dents?
- ☐ b) Quand vous souffrez tellement depuis longtemps que vous n'en pouvez plus?
- ☐ c) Systématiquement toutes les années afin de pouvoir dépister le moindre mal?

5. Avez-vous déjà manqué un train?
- ☐ a) Jamais.
- ☐ b) Une fois.
- ☐ c) Cela m'est arrivé à plusieurs reprises.

6. Si vous êtes inscrit à une bibliothèque, rendez-vous vos livres:
- ☐ a) Au jour dit?
- ☐ b) Toujours avec du retard?
- ☐ c) Attendez-vous pour vous décider d'avoir reçu un avis?

7. Arrivez-vous en retard aux cours de français (ou à votre travail)?
- ☐ a) Jamais
- ☐ b) Quelquefois exceptionnellement, mais cela m'ennuie.
- ☐ c) Systématiquement: je n'arrive pas à être à l'heure.

8. Quand vous avez des invités, tout est-il prêt avant leur arrivée?
- ☐ a) Toujours
- ☐ b) Quelquefois
- ☐ c) Jamais

9. Vous couchez-vous toujours à la même heure?
- ☐ a) Oui, c'est très important pour moi.
- ☐ b) Ça dépend; si je fais quelque chose qui m'intéresse, je ne fais pas attention à l'heure.
- ☐ c) Cela varie tous les jours.

10. Quand un homme (ou une femme) vous donne rendez-vous dans un café, cherchez-vous
- ☐ a) À arriver scrupuleusement à l'heure?
- ☐ b) À ne pas arriver trop en retard?
- ☐ c) À arriver en avance pour ne pas faire attendre?

Si vous avez 8 ou 10 points à la question a, vous êtes une personne très ponctuelle. Vous considérez que « l'exactitude est la politesse des rois » et vous respectez le temps de ceux qui vous entourent.

Si vous avez entre 5 et 8 points à la question a, vous avez encore des progrès à faire.

Si vous avez moins de cinq points, il doit être très difficile de vivre avec vous ; votre vie est trop désorganisée et vous découragerez bien vite tous vos amis.

5 Exercices écrits

1 On vous donne deux actions ; montrez qu'elles ont l'habitude de se produire ensemble.

Ex. : Les Français doivent voter/les murs des villes et des villages se couvrent d'affiches électorales.
Au moment où les Français doivent voter, les murs des villes et des villages se couvrent d'affiches.

1. Mes parents sont en voyage/ils achètent un petit cadeau à chacun de leurs enfants.
2. Le président de la République se déplace/il est entouré de « gorilles ».
3. Les premiers froids arrivent/il attrape un rhume qui dure un mois.
4. Les artistes viennent saluer/le public applaudit.
5. Le nouveau directeur annonce une réforme dans l'administration/c'est une levée de boucliers.
6. Le printemps arrive/les arbres ont des bourgeons.
7. Une pièce est jouée pour la première fois/les critiques dans la presse affluent.
8. Il y a une grève à la RATP/la vie des Parisiens devient impossible.
9. Il y a un nouveau travail à faire/il prétexte sa mauvaise santé pour s'esquiver.
10. Il y a un match à la télévision/il regarde.

2 On vous donne deux actions ; montrez qu'elles commencent ensemble.

Ex. : Je suis en France/je pense en français.
Depuis que je suis en France, je pense en français.

1. Il est à Paris/il va voir des films français.
2. Ses enfants sont en vacances/elle travaille à plein temps.
3. Il est au chômage/il fait de la dépression.
4. Je lis mieux le français/j'essaie de connaître les grands auteurs de la littérature française.

3 On vous donne deux actions ; montrez qu'elles progressent parallèlement.

Ex. : L'émission se déroulait/le standard croulait sous les appels téléphoniques.
Au fur et à mesure que l'émission se déroulait, le standard croulait sous les appels téléphoniques.

1. La pièce de théâtre avançait/la fatigue des comédiens se lisait sur leurs visages.
2. Son père parlait/elle sentait l'envie de claquer la porte envahir son esprit.
3. Il regardait agir Sophie/il comprenait qu'elle n'était pas faite pour lui.
4. Le peintre vieillit/son œuvre est meilleure.

4 On vous donne deux actions; montrez qu'elles se prolongent dans la même durée.

Ex. : Il n'a pas de situation/il vit chez ses parents (mettre au passé).
Tant qu'il n'avait pas de situation, il vivait chez ses parents.

1. Tu n'as pas compris mon comportement/tu continues à m'en vouloir (mettre au futur).
2. Elle l'écoute/elle est passionnée (mettre au passé).
3. Nous n'avons pas repéré notre route sur le plan/il est inutile de continuer (mettre au futur).
4. Il est attentif/je travaille avec lui (mettre au passé).

6 Pour aller plus loin

Retarder et avancer

1 Retarder

Tous les mots qui suivent signifient retarder, gagner du temps: atermoyer; demander un sursis; différer; donner un délai; donner une réponse dilatoire; gagner du temps; retarder; renvoyer, repousser, solliciter un report.

Remplacez les pointillés par le mot convenable.

1. À force d' .... et de repousser de délai en délai, il a fini par payer ses impôts six mois après la date limite. Ils ont ainsi été majorés. — 2. Avant de prendre une décision, il cherche toujours à .... par de faux-fuyants ou des prétextes qui ne sont pas valables. — 3. Il a dû .... son départ en vacances à cause d'une opération chirurgicale tout à fait imprévisible. — 4. Pour avoir la possibilité de finir ses études, il a demandé un .... pour faire son service militaire. — 5. Le procès a été .... à un an. — 6. Il était dans une telle incertitude qu'il n'a pu donner qu'une réponse .... — 7. Comme il avait acheté sa maison en faisant un gros emprunt et que, tout de suite, il a dû avancer de l'argent pour les travaux, il a fallu qu'il demande un .... pour le versement de la première mensualité. — 8. Il est onze heures alors que ma montre marque 10 heures 45; elle .... d'un quart d'heure. — 9. J'ai eu trois coups de téléphone d' .... ce qui m'a .... dans mon travail. — 10. Elle cherche toujours à .... la date de son mariage: c'est un mauvais signe. — 11. Je n'avais pas d'argent pour payer mes impôts à la date requise. J'ai dû ....

2 Avancer

Aller au-devant de; anticiper; avancer; avoir de l'avance sur; dépasser; devancer; distancer; être en avance; précéder; prévenir.

1. Il a eu tellement peur de manquer son train qu'il est arrivé à la gare avec une demi-heure d' .... — 2. Le peloton de tête a .... les autres coureurs cyclistes de 500 mètres. — 3. Si une lettre .... 20 grammes, on doit mettre un timbre supplémentaire. — 4. C'est justement ce que j'allais dire; tu m'as .... — 5. Ces yaourts doivent être consommés avant le 3 janvier; nous sommes le 10. La date limite est donc .... de plusieurs jours. — 6. Dans deux ans, j'aurai fini mes études et je m'installerai comme médecin à Paris; je ne sais pas encore comment, cela me fait du souci. Écoute, n' .... pas; un jour à la fois; tu as le temps d'y songer. — 7. Ne te presse pas; je pars avant toi pour retenir un taxi: je te .... — 8. Si je viens vous voir, je vous .... quelques jours à l' .... — 9. Ma montre .... d'un quart d'heure; il n'est que 11 heures alors qu'elle marque déjà 11 heures 15. — 10. En me donnant une pareille augmentation, le directeur est .... de toutes mes espérances.

3 Les expressions qui marquent la simultanéité

Au même rythme; au pas; conjointement; de concert; de conserve; en cadence; ensemble; en même temps; en mesure; parallèlement; simultanément.

Remplacez les pointillés par l'expression qui convient.

1. Au cours de cette symphonie, les musiciens étaient très attentifs à la battue du chef d'orchestre afin de rester toujours parfaitement en .... — 2. Avant la cérémonie militaire, les soldats s'entraînent longuement afin de marcher absolument .... le jour où ils défileront sur les Champs-Élysées. — 3. Ces deux enfants sont nés le même jour; ils ont toujours été voisins si bien qu'ils ont fait toutes leurs études .... — 4. Il fait des études de comptabilité .... à des études de droit. — 5. Les parents qui élèvent des enfants ensemble doivent souvent se concerter afin d'agir .... — 6. A sept heures les horloges ont sonné .... — 7. C'est une collègue que j'aime beaucoup; nous avons travaillé .... pendant vingt ans. — 8. Nous avons fait .... une promenade dans la forêt de Chantilly. — 9. L'enseignant est satisfait car sa classe progresse à peu près .... — 10. Il fait toujours deux choses; .... et cela l'épuise. — 11. La musique aide à marcher en ....

Dossier 14

L'expression de la postériorité

1 Texte de sensibilisation

Le XXIᵉ siècle

On a déjà fait beaucoup de prévisions sur l'avenir de notre civilisation et beaucoup de prédictions sur les cent années de ce XXIᵉ siècle que nous avons déjà entamé.

Beaucoup le voient comme un siècle difficile dans lequel le chômage et la misère seront les premiers acteurs du drame de la pauvreté dont nous ne voyons que trop les prémices. On imagine qu'une fois la précarité éradiquée, si toutefois cela n'est pas une utopie, une fois la famine combattue dans le monde, les hommes pourront aspirer à un certain mode de vie décente.

D'autres l'imaginent comme un siècle où il y aura une population tellement importante sur la planète que les moindres gestes de la vie élémentaire deviendront sources de difficultés majeures. Et pourtant dès qu'un certain chiffre de la population sera atteint, la vie, à brève échéance, risquera de devenir très difficile si les hommes ne s'ingénient pas à la rendre humaine en utilisant tous les moyens dont ils pourront disposer. D'autres, au contraire, l'envisagent comme un siècle lumineux où la science et la technologie atteindront un tel degré de perfection que notre vie en sera complètement transformée. Dans un avenir lointain, on ne peut encore prévoir les conséquences de toutes les découvertes, mais on sait que désormais le monde a changé et que rien ne sera plus comme avant.

Le bon sens veut que l'on ne pousse pas les prévisions à un degré extrême. Le XXIᵉ siècle sera, certes, un siècle difficile comme tous les autres siècles, car la vie n'a jamais été simple pour les hommes, que ce soit au Moyen Âge, au temps de la Révolution ou sous la Vᵉ République. Il y aura toujours la souffrance, la maladie, la mort, la pauvreté, les catastrophes naturelles en plus de toutes les misères qui sont amenées par la haine des hommes les uns pour les autres, que ce soit pour des raisons politiques, religieuses, ethniques, raciales ou autres. Il sera un siècle où, comme à toutes les époques, se côtoieront le pire et le meilleur, où certains feront leur tâche de chaque jour avec conscience et honnêteté pendant que d'autres exploiteront la misère humaine pour augmenter leur fortune ou pour trouver des moyens de plus en plus sophistiqués pour tuer leurs semblables.

Mais ce dont nous sommes sûrs dans un avenir proche, c'est que le XXIᵉ siècle sera celui que les hommes de demain bâtiront avec leur intelligence certes, mais aussi avec leur cœur, leur bon sens et leur désir de préparer le bonheur des générations futures. On ne récolte que ce que l'on a semé et aussi ce que les autres ont semé pour vous. Si le monde continue à vivre dans la haine, le désir de détruire et de tuer, dans l'appât sans scrupules du profit, dans l'insouciance de la destruction de l'environnement, le XXIe siècle se transformera rapidement en enfer pour ceux qui viendront après nous.

Alors, ayons à cœur de construire pour eux, un monde dans lequel les mots « bonheur », « amour », « simplicité », « générosité », « partage », « responsabilité », « désir de paix » ou tout simplement « construction d'un monde vivable pour tous » auront encore un sens.

Inventaire

1. Comment la postériorité est-elle marquée ici grammaticalement ?
2. Quels sont les mots qui portent en eux une idée de postériorité ?

2 Outils grammaticaux

1. La postériorité peut s'exprimer par les temps

Le présent : Dès qu'il passe son bac, il part en vacances.
Le passé : Une fois que j'ai bien fini mon travail, je n'y pense plus.
Le futur et le futur antérieur : Quand il aura achevé son tableau, il l'accrochera dans une exposition pour le vendre.

2. Après + l'infinitif passé : Après avoir utilisé le matériel, vous êtes prié de le ranger convenablement…

3. La postériorité peut également s'exprimer par les conjonctions ou locutions conjonctives suivies de l'indicatif : à peine ; après que* ; aussitôt que ; dès que ; lorsque ; quand ; sitôt que ; une fois que.

*Nota : l'utilisation de après que + indicatif est souvent une source de faute car de nombreux français, par analogie avec avant que qui est suivi obligatoirement du subjonctif, ont une tendance à utiliser également le subjonctif.

3 Les outils lexicaux

À brève échéance ; à longue échéance ; à l'avenir ; après + un nom ; bientôt ; dans un avenir lointain ; dans un avenir proche ; dans un instant ; dans un laps de temps déterminé ; dans un mois (un jour, une semaine, etc.) au plus tard ; dans un moment ; désormais ; dorénavant ; incessamment ; le plus tard possible ; plus tard ; prochainement ; promptement ; rapidement ; tardivement ; tôt ou tard ; ultérieurement.

Après-demain ; dans (deux) ans ; demain ; le lendemain ; les lendemains ; la semaine (le mois, l'année) prochaine ; la semaine (le mois, l'année) suivante ; le surlendemain ; l'avenir, le futur ; un projet d'avenir ; des perspectives d'avenir ; la postérité…

Lorsqu'un projet ne peut pas se réaliser tout de suite mais qu'on compte le remettre à un peu plus tard, on dit : *C'est partie remise* ou *Ce n'est que partie remise.*

Deux expressions du langage familier pour montrer que quelque chose ne se produira jamais dans l'avenir :
– reporter quelque chose à la saint Glin-Glin (saint qui n'existe pas dans le calendrier) ;
– reporter quelque chose aux Calendes grecques (les Calendes étaient chez les Romains le premier jour de chaque mois et le jour d'échéance des dettes. Les Calendes n'existaient pas dans le calendrier grec.).

4 Pour communiquer

1 Répondez aux questions suivantes

1. Que ferez-vous après cette année scolaire ?
2. Où comptez-vous vous installer après vos études ?
3. Qu'avez-vous décidé pour vos vacances de l'année prochaine ?
4. Faites-vous facilement des projets ?
5. Quelles sont les perspectives d'avenir pour un étudiant de FLE voulant travailler en France ?

2 Test. Êtes-vous organisé en vue de l'avenir ?

1. Faites-vous des projets à long terme ?
   – Toujours
   – Rarement
   – Jamais

2. Si un projet auquel vous tenez (examen, concours, voyage) ne se réalise pas, êtes-vous :
   – Très contrarié
   – Moyennement contrarié
   – Vous dites : « tant pis ! »

3. Organisez-vous votre semaine qui vient :
   – Minutieusement. Tout est noté.
   – Avec quelques repères notés
   – Rien n'est noté

4. Vous arrive-t-il d'essayer d'imaginer votre vie dans dix ans ?
   – Souvent
   – De temps en temps
   – Jamais.

5. Quand commence une année nouvelle, vous dites-vous:
– Je note déjà sur mon agenda neuf les dates qui seront importantes pour moi.
– On verra bien ce qui arrivera.
– Ces 365 jours en blanc me font peur

6. Lorsque vous partez en voyage:
– Préparez-vous minutieusement tous vos itinéraires à l'avance?
– Vous dites-vous: «on verra bien sur place. Je m'inspirerai des circonstances»?
– Achetez-vous la carte du pays et les documents en dernière minute?

7. Lorsque vous organisez une réunion d'amis, les prévenez-vous:
– Trois semaines à l'avance pour être sûrs qu'ils soient libres?
– En dernière minute en vous disant: «tant pis s'il y en a qui ne sont pas libres»?
– Quelques jours avant pour avoir le temps de vous organiser?

8. Préparez-vous la veille vos habits du lendemain (chaussures cirées, chemises repassées etc.):
– Toujours
– Rarement
– Jamais

9. Pensez-vous à vos cadeaux de Noël:
– Très longtemps à l'avance
– Quelques semaines avant
– Vraiment à la dernière minute.

10. Lorsque vous allez acheter des livres:
– Arrivez-vous avec une liste de livres à la main?
– Avec aucune idée spéciale en tête?
– En vous disant: j'achèterai sûrement un livre mais je verrai sur place celui dont j'aurai envie?

Si vous avez entre 8 et 10 points aux réponses 1, vous êtes quelqu'un de très (de trop) organisé: le moindre événement qui change vos projets devient pour vous une affaire d'état.

Si vous avez entre 5 et 8 points à la réponse 1, vous êtes bien organisé mais vous avez encore la possibilité d'avoir un peu de fantaisie.

Si vous avez moins de 5 points à la question 1, vous êtes très mal organisé et toutes vos actions de dernière minute ne réussiront pas forcément.

5 Exercices écrits

1 Établissez des rapports de postériorité en utilisant le futur et le futur antérieur; vous pourrez être amené à modifier certains verbes.

Exemple: Avoir une course à faire/trouver ses clés.
J'aurai une course à faire mais je ne pourrai sortir que lorsque j'aurai trouvé mes clés/J'irai faire mes courses lorsque j'aurai trouvé mes clés.

1. Me coucher/finir mon travail. — 2. Inviter des amis/avoir terminé mon projet d'architecture. — 3. Téléphoner/fixer la date. — 4. Les travaux être vraiment terminés/les ouvriers enlever leur matériel. — 5. Pouvoir partir/les enfants terminer leurs examens.

2 Établissez, en utilisant le plus possible de formules variées, des rapports de postériorité entre les actions suivantes ; il vous est possible d'ajouter un élément si cela est nécessaire pour rendre la phrase logique.

Exemple: faire ses courses/trouver ses clés.
Une fois que j'aurai trouvé mes clés, j'irai faire mes courses.
Après avoir trouvé mes clés… ; dès que j'aurai trouvé mes clés… ; sitôt que j'aurai trouvé mes clés…, etc.

1. Faire la vaisselle/balayer la cuisine. — 2. Faire l'exercice/apprendre la leçon. — 3. Finir le dessert/servir le café. — 4. Mettre son clignotant à gauche/se mettre progressivement au milieu de la route/tourner. — 5. Prendre sa douche/s'habiller/sortir.

3 Remplacez l'expression « une fois que » par « après + l'infinitif passé ».

Attention : la transformation n'est possible que si le sujet des deux verbes est le même.
Exemple: Une fois que vous aurez lu ce livre, vous pourrez me le prêter.
Après avoir lu ce livre, vous pourrez me le prêter.

1. Une fois que vous aurez fait installer une porte blindée, vous serez à l'abri des cambrioleurs. — 2. Une fois qu'ils ont aidé leurs enfants à faire des études et à avoir une situation, les parents se sentent bien libérés. — 3. Une fois que vous aurez vu l'Auvergne, vous aurez envie de découvrir le Limousin. — 4. Une fois que tu auras commencé ce livre, tu ne pourras plus le lâcher.

4 Terminez les phrases suivantes en utilisant une expression convenable. Vous devez vous aider de l'inventaire donné dans les outils lexicaux…

Exemple: Les travaux du tunnel vont se terminer…
Les travaux du tunnel vont se terminer à brève échéance.

1. Asseyez-vous un moment ; monsieur Dupont va rentrer ……… — 2. Je voudrais que ces travaux de peinture soient faits ……… — 3. Nous pourrons partir ……… notre voiture sera réparée. — 4. Nous serons amenés à prendre cette décision ……… elle ne nous satisfait pas mais elle est inéluctable. — 5. Je m'attends à recevoir ……… un courrier de la sécurité sociale. — 6. J'envisage de retourner dans mon pays dans ……… — 7. Oui, ma grand-mère ira un jour dans une maison de retraite, mais dans ……… — 8. La conférence a été remise ……… — 9. J'ai dû

renoncer à mon voyage en Espagne cette année. Mais je compte bien remettre ce projet sur le tapis très bientôt. Ce n'est que .... — 10. Il est loin d'avoir tout son temps pour présenter ce projet. Il doit le faire dans ....

Pour aller plus loin

L'infinitif passé, outil de la langue écrite ou du langage soutenu.

1 Dans les phrases suivantes, remplacez l'expression en italique par l'infinitif passé.

Exemple: *Dès que* j'ai eu fini mon travail, je suis sorti.
Après avoir fini mon travail, je suis sorti.

1. *Aussitôt* rentré, l'enfant s'est mis à faire ses devoirs. — 2. *Dès que* j'ai eu connaissance de votre dossier, j'ai pu répondre à votre lettre. — 3. *Quand* il eut expliqué les raisons de sa candidature, il promit à ses électeurs de soutenir leurs revendications. — 4. *Lorsque* j'ai payé toutes mes factures et assuré tous mes prélèvements automatiques au début de chaque mois, il ne me reste plus grand-chose pour vivre. — 5. *Quand* il a acheté son magnétoscope, il l'a tout de suite installé. — 6. Quand elle eut dansé toute la soirée avec Matthieu, elle voulut à nouveau le rencontrer. — 7. Nous allons d'abord traiter notre sujet; *après quoi*, nous répondrons à vos questions.

2 À partir des phrases suivantes extraites d'articles de journaux, reformulez une nouvelle phrase en utilisant l'infinitif passé.

Ex. : Le président de la République a rappelé aux Français leur devoir électoral. Puis il les a assurés de son soutien en cas de réélection.
Après avoir rappelé aux Français leur devoir électoral, le Président de la République les a assurés de son soutien en cas de réélection.

1. Le ministre de la Culture a inauguré ce jeudi le salon du Livre au Grand Palais, puis il a visité les différents stands et s'est montré satisfait des performances des éditeurs. — 2. Quand ils ont appris que la France avait importé des centaines de tonnes de poissons d'Islande et de Norvège, les marins-pêcheurs ont saccagé, dans leur colère, les installations portuaires de Boulogne-sur-Mer. — 3. Plusieurs dirigeants socialistes ont critiqué vivement l'action du Premier ministre, mais ils ont manifesté le désir que le président de la République aille au bout de son mandat. — 4. Le ministre de l'Éducation nationale a d'abord dénoncé l'impuissance de l'école à remettre en cause les hiérarchies sociales, puis il a annoncé la mise en place de nouvelles réformes. — 5. Les basketteurs français ont éliminé en quart de finale des championnats d'Europe les basketteurs italiens mais ils ont dû ensuite s'incliner devant la Grèce.

Le déroulement du temps et la durée

1 Texte de sensibilisation

Mon jardin

Le printemps est enfin arrivé. Cela fait une semaine qu'il fait beau, cela fait aussi une semaine que je travaille sans cesse dans mon jardin. Il m'a d'abord fallu deux jours pour ramasser et brûler les feuilles mortes et les broussailles de l'an passé; depuis l'hiver dernier, elles envahissaient le potager et empêchaient la croissance de la végétation nouvelle. J'ai mis une journée presque entière pour retourner la terre, bêcher, aplanir, ratisser et il m'a fallu tout le reste du temps pour semer, planter, et mettre des bulbes dans la terre. Maintenant il ne me reste plus qu'à attendre la pluie; il faudrait une bonne averse, pendant plusieurs heures d'affilée et ensuite quelques longues journées de soleil pour que tout puisse germer, sortir, pousser.

Mon voisin m'a dit: « Dans combien d'années allez-vous vous décider à planter des arbres fruitiers? Plantez donc des cerisiers: une variété précoce et une variété tardive. Vous aurez ainsi des fruits pendant plusieurs semaines sans discontinuer. Depuis que je vous le dis! » Et j'ai fini par me décider! L'année prochaine je planterai un pommier, l'année suivante un abricotier et ainsi de suite chaque année.

Jusqu'à présent, rien ne pouvait me faire lever la tête de mes livres; il me semblait qu'ils étaient les seuls au monde à pouvoir susciter en moi un intérêt inégalable; et voilà que depuis que je sais que quelques graines vivent et grandissent dans mon jardin, je deviens autre; depuis la semaine dernière, je ne cesse d'aller voir si une petite pousse verte ne va pas sortir du sein de la terre; j'examine les bourgeons du matin jusqu'au soir; tout à l'heure j'évaluais les chances de pluie en observant la course des nuages dans le ciel; je me suis aperçu que mon regard sur la nature avait changé car maintenant je sais que grâce à mon travail, la vie va renaître et devenir exubérante en ce jardin qui depuis si longtemps dormait sous la neige et les brumes de l'hiver.

Inventaire

1. Quels sont les centres d'intérêt de la personne qui parle?
2. Par quels mots ou expressions, le déroulement du temps est-il exprimé?

2 Les outils grammaticaux

1. Le déroulement du temps peut se marquer par des mots que l'on appelle des **marqueurs temporels.** Ils sont très nombreux. Nous en avons déjà étudié beaucoup. Pour mémoire, nous en citerons seulement quelques-uns: à ce moment-là; ainsi de suite; à la suite; à partir de; après; au cours de; au moment de; aujourd'hui; avant; d'affilée (ex.: voir trois films d'affilée = l'un après l'autre); désormais; demain; depuis; de suite; durant; ce jour-là; cette (semaine); en ce moment; enfin; ensuite; en suivant; jusqu'à présent; jusqu'au moment où; hier; l'année (dernière/prochaine/suivante/d'après); lors de; maintenant; naguère; par la suite; sur le champ (= tout de suite, immédiatement); tout de suite, etc.

2. La durée peut s'exprimer par les locutions suivantes: cela fait (trois jours) que...; dans trois jours; depuis (trois jours); depuis que (l'indicatif); en (trois jours); il y a (trois jours) que; pendant (trois jours); pour (trois jours); voilà (trois jours) que...

3 Les outils lexicaux

1. Le commencement: le commencement; le début; l'entrée en matière; l'origine...

Amorcer; attaquer; débuter; démarrer; ébaucher; entamer; entreprendre; esquisser; fonder...

2. La fin: l'aboutissement; l'achèvement; la chute; la clôture; la conclusion; le dénouement; la fermeture; la fin; la finale; l'issue; le terme...

Accomplir; achever; baisser le rideau; cesser; clore; épuiser (le sujet); fermer; finir; mettre fin; prendre fin; tirer à sa fin; se terminer; terminer...

3. Les adjectifs qui situent les personnes ou les événements dans le temps: démodé; dépassé; désuet; intemporel; tardif; passé; précoce; retardé; obsolète; vieilli.

4 Pour communiquer

1 Répondez aux questions suivantes

1. Depuis combien de temps étudiez-vous le français? — 2. Cela fait combien de temps que vous n'êtes pas allé au cinéma? — 3. Voilà combien de temps que vous n'avez pas revu votre famille? — 4. Combien de semaine vous a-t-il fallu pour pouvoir commencer à vous exprimer en français? — 5. Combien de temps avez-vous mis pour venir jusqu'ici? — 6. Quelle est la durée d'un mandat présidentiel en France? — 7. Combien d'années a duré la deuxième guerre mondiale?

2 On vous donne une situation, vous réagissez

1. Cela fait vingt minutes que vous attendez devant une cabine téléphonique. Vous finissez par entrouvrir la porte vitrée et vous dites: ....

2. Vous êtes sur le quai de la gare prêt à partir. Vous apprenez que votre train aura une heure de retard à cause d'une grève-surprise. Vous êtes énervé et vous dites: ....

3. Vous avez passé le délai pour vous inscrire à un voyage. Vous demandez qu'on vous inscrive quand même malgré votre retard. Vous dites: ....
4. Vous attendez le chèque de votre salaire tous les jours depuis quinze jours. Vous prenez votre téléphone et vous dites: ....
5. Vos invités arrivent une demi-heure trop tôt alors que rien n'est prêt. Vous dites: ....
6. À la fin d'un examen, à l'heure dite on vous retire votre copie qui est presque achevée, mais il vous reste encore quelques lignes à écrire. Vous demandez encore un peu de temps et vous dites: ....
7. Vous n'avez pas l'argent pour payer vos impôts à la date requise. Vous écrivez au percepteur pour lui demander un délai de grâce et vous dites: ....
8. Vous êtes depuis une heure dans le salon d'attente d'un médecin. Vous êtes excédé. Vous vous levez et vous partez. Vous dites à la secrétaire: ....

5 Exercices écrits

1 Mémorisation des substantifs qui signifient «le commencement»: un commencement; un début; un débutant; des débuts; une entrée en matière; une inauguration, une ouverture, un prologue, un vernissage.

Remplacez les pointillés par le mot qui convient.

1. Du .... à la fin, sa lettre était un tissu de fautes d'orthographe. — 2. Elle a fait ses .... à la Comédie-Française en 1990. — 3. Ce n'est pas un ...., mais il a encore beaucoup à apprendre avant d'être en pleine possession de son métier. — 4. Il voulait demander à Blandine de l'épouser, mais il ne savait pas comment s'y prendre; l' .... a été laborieuse, mais elle a tout de suite compris et elle est venue à son secours. — 5. C'est toujours le ministre de la Culture qui procède à l' .... des grandes expositions. — 6. Dès le .... de la conversation, j'ai compris à qui j'avais affaire. — 7. Lors de la cérémonie d' .... des Jeux olympiques, tous les athlètes défilent dans le stade. — 8. Dans le théâtre antique, la partie de la pièce qui précédait l'entrée du chœur s'appelait le .... Cela se situait en général tout à fait au commencement de la pièce. — 9. J'ai été invité à un cocktail pour le .... de l'exposition des dessins de Fragonard. — 10. En général, dans un opéra, l' .... se joue à rideaux fermés.

2 Mémorisation des verbes qui signifient «commencer»: amorcer; attaquer; commencer; débuter; déclencher; démarrer; ébaucher; engager; entamer; entonner; entreprendre; esquisser; étrenner; ouvrir.

1. Quand il a .... à parler, tout le monde s'est tu. — 2. Il a essayé d' .... une discussion sur la politique actuelle, mais comme je craignais que cela prenne des proportions démesurées, je n'ai pas répondu à ses interrogations. — 3. Ce n'est pas encore un tableau.; il a .... timidement au crayon la place des formes et essayé de les équilibrer, mais tout reste à faire. — 4. Au moment où l'on a apporté le gâteau

avec les bougies, Emmanuel a .... « Joyeux Anniversaire » et tout le monde s'est mis à chanter avec lui. — 5. Il est de bon ton, lorsqu'on sert un fromage rond, comme le camembert, de l' .... avant de le présenter aux invités. — 6. Il a voulu .... une action en faveur de l'aide humanitaire, mais il s'est heurté très vite à de nombreuses difficultés. — 7. Après avoir été présenté, le conférencier a .... d'emblée le cœur de son sujet. — 8. Les pays belligérants ont essayé d' .... des négociations de paix. — 9. Le jour où j'ai pris pour la première fois ma nouvelle voiture, elle n'a pas voulu ....; il a fallu que je rappelle mon vendeur pour la faire sortir du garage. — 10. Un bon professeur doit savoir .... la motivation de ses étudiants. Une fois qu'ils sont motivés, ils travaillent toujours avec plaisir. — 11. Ce n'est pas moi qui ai commencé à dire des choses désagréables; c'est lui qui a .... les hostilités en me traitant d'incapable. — 12. J'ai acheté un beau costume beige; je l' .... hier soir. — 13. Le président de la République a .... le nouveau musée. — 14. Il vient tout juste d' .... des études aux Beaux-Arts.

3 Les substantifs qui signifient « la fin »

Remplacez les pointillés par un des noms suivants : l'aboutissement ; l'achèvement ; la chute ; la clôture ; la conclusion ; le dénouement ; la fermeture ; la fin ; le finale ; l'issue ; la ruine ; le terme.

1. L' .... des travaux est repoussé *sine die*[1]. — 2. Dans une maladie comme celle-là, il n'y a plus rien à faire; l' .... est fatale. — 3. Maintenant il faut clore la discussion et trouver le mot de la .... — 4. Tous ces déboires ont assez duré: il est temps de mettre un .... à cette affaire. — 5. Le dernier jour des Jeux olympiques, pour la cérémonie de .... il y a un feu d'artifice gigantesque. — 6. Normalement, le spectateur ne doit pas supposer à l'avance le .... de la tragédie. — 7. Après plusieurs licenciements massifs et la récession qui allait en augmentant, la .... de l'usine était devenue inévitable. — 8. C'est un travail sans .... qui dure depuis des années et dont je ne vois pas l' .... — 9. Ils écoutaient inlassablement le .... de la passion selon Saint-Jean de Jean-Sébastien Bach qui est une des plus belles musiques de tous les temps. — 10. La .... de notre conversation, c'est que nous pouvons faire quelque chose pour aider notre ami. — 11. Notre société va à sa .... si nous continuons à vivre en nantis égoïstes. — 12. La .... de l'Empire romain était prévisible. — 13. Ce beau résultat, c'est l' .... de tes efforts et de ton travail.

4 Quelques verbes qui signifient « finir »

Remplacez les pointillés par un des verbes suivants : accomplir ; achever ; baisser le rideau ; cesser ; clore ; épuiser ; être résolu ; fermer ; fignoler ; finir ; finir par ; lever ; mettre fin ; prendre fin ; tirer à sa fin ; se terminer ; terminer.

1. Mes fonctions prendront le 1er janvier 2006 .... — 2. Maintenant ma mission est ....; je considère que ma tâche est bien .... — 3. Pour .... la

1. Sans date fixée.

discussion, il a prétexté qu'il avait un train à prendre. — 4. Le président a .... la séance dès qu'il a vu le tour que prenaient les interventions. — 5. À la fin du spectacle, avant que l'on ne .... le rideau, les comédiens ont salué longuement le public qui les a rappelés plus de dix fois. — 6. Maintenant il faut .... le chapitre des petites plaintes de chacun et essayer de voir ce que l'on pourrait faire pour améliorer les conditions de vie dans le quartier d'une manière générale. — 7. Le mandat actuel des députés .... à sa fin puisque les nouvelles élections auront lieu dans une semaine. — 8. Elle disait toujours à son ami: « .... de te plaindre de ta santé et de tes soucis d'argent. Tu n'es pas le seul à en avoir et si tout le monde faisait comme toi, la vie serait invivable.» — 9. Quand nous nous sommes quittés après plusieurs heures de discussions passionnées, nous étions loin d'avoir .... le sujet. — 10. Maintenant que tu as reçu la réponse de la Sécurité sociale, une partie de tes problèmes financiers sont .... — 11. J'ai pratiquement fini mon travail, mais je voudrais encore un peu de temps pour pouvoir le .... — 12. «Ne me coupez pas sans arrêt: laissez-moi tout de même .... mon discours.» — 13. «Maintenant toutes les démarches sont finies. Il ne reste plus qu'à .... légaliser les signatures.» — 14. À force de discussions et de tergiversations, il a .... par comprendre qu'il fallait s'en aller. — 15. Le congrès s' .... par un banquet très joyeux.

5 Quelques adverbes de temps

Employez les adverbes suivants dans des phrases de votre choix: définitivement; immédiatement; indéfiniment; instantanément; interminablement; momentanément; ponctuellement; primitivement; prochainement; progressivement; provisoirement; ultérieurement...

6 La succession dans le temps

Employez ces expressions dans les phrases suivantes: ainsi de suite; à la suite; d'affilée; de suite; enfin; ensuite; en suivant; par suite (cette expression implique aussi une idée de conséquence); par la suite; sans suite; sur-le-champ; tout de suite...

1. J'ai écrit quatre pages .... puis j'ai fait la sieste. — 2. Son fils présentait des signes de grippe; elle a .... fait appeler le médecin. — 3. Elle est capable d'avaler une douzaine d'huîtres .... — 4. Il était incapable, dans son émoi, de dire deux mots .... — 5. Enfant, il ne brillait pas en classe, mais plus tard, ... il a fait des étincelles (fam.). — 6. Pour apprendre ce discours par cœur, vous le lisez une fois, deux fois, trois fois et .... jusqu'à ce que vous soyez capable de le réciter. — 7. Les crues du fleuve étaient redoutables jusqu'à la construction de barrages; .... la vallée n'a plus jamais été inondée. — 8. Il est capable d'une attention soutenue, de persévérance même pendant plusieurs heures .... — 9. Je vous prierai de me répondre immédiatement ...., par retour du courrier. — 10. Je vous autorise à sortir cinq minutes pendant l'épreuve d'examen, mais revenez .... — 11. .... d'un incident technique, le trafic est interrompu.

7 Étude lexicale de quelques adjectifs du temps

Complétez les phrases en choisissant parmi les adjectifs suivants : démodé ; désuet ; intemporel ; obsolète ; passé ; précoce ; retardé ; tardif ; temporaire ; vieilli, vieux...

Exemple : J'ai visité une exposition merveilleuse qui ne va durer que trois semaines. Ah ! je vais me dépêcher d'y aller car c'est une exposition temporaire.

1. « Benoît a marché à 10 mois. C'est exceptionnel. » « C'est un enfant particulièrement .... » — 2. « J'ai raté mon rendez-vous car j'ai été coincé pendant une heure dans les embouteillages place d'Italie. » « Excusez-moi ; j'ai été .... » — 3. « Il y a quinze jours, c'était ton anniversaire ; je ne te l'ai pas encore souhaité. Je le fais maintenant. » « C'est gentil de ta part, mais ce sont des vœux bien .... » — 4. « C'est un quartier qui a tout le charme des vieux quartiers de Paris, avec des vieilles boutiques, des repasseuses, des bistrots comme autrefois etc. » « C'est vrai que tu aimes bien tout ce qui a un air .... » — 5. « On peut aimer ou ne pas aimer l'architecture de Beaubourg mais cela a tout de même été un événement dans l'histoire de la construction de Paris, tu ne peux pas le contester ! » « C'est exact, mais il faut quand même reconnaître que cela a très mal .... ; les couleurs sont .... et c'est devenu un monument .... » — 6. « Je raccourcis ma jupe, car maintenant on les porte bien largement au-dessus du genou. » « Tu as raison, car en les portant trop longues cela fait .... et .... » — 7. « Je viens de relire l'*Antigone* de Sophocle et j'ai été surpris de voir combien elle était encore moderne. » « Ce sont des œuvres .... qui seront valables encore pour toutes les générations sous tous les cieux. »

6 Pour aller plus loin

Quelques outils lexicaux de la langue parlée

1. Nos réactions devant le temps

– Quand c'est trop long :
  Maintenant ça commence à bien faire.
  Finissons-en, c'est trop maintenant.
  C'est interminable !
  Ça fait (deux heures, trois jours, etc.) que j'attends.
  On n'est pas encore sorti de l'auberge !
  On ne voit pas encore le bout du tunnel !
  Je n'en vois plus la fin.
  Deux minutes de plus et je fais un malheur.
  On n'a pas fini d'attendre !
  On se fiche de moi (de nous).
  On se paye ma tête.

On ne va tout de même pas y passer la nuit!
C'est vraiment se moquer du monde.

– Quand vous prenez trop de temps et qu'on vous arrête:
Une minute, s'il vous plaît, j'ai fini!
J'en ai pour une minute.
Laissez-moi cinq minutes.
Laissez-moi finir ce que je dis.
Ne me coupez pas la parole; cela n'avancera pas les choses.
J'ai encore quelque chose à dire (ou à faire).
Donnez-moi quand même un petit délai!
Vous permettez que je finisse?
Je m'arrêterais quand je voudrais; c'est mon problème et pas le vôtre.
Vous pouvez bien patienter cinq minutes. Un peu de patience Quand même.

– Quand c'est trop court:
Je n'y arriverai jamais.
Je n'ai pas assez de temps: c'est trop court comme délai.
Laissez-moi encore un peu de temps. Vous voyez bien que je n'ai pas fini.
Je ne serai pas prêt.
J'ai beau me dépêcher, je n'y arriverai pas.
Il faut que je demande quelques jours de plus pour finir.
Comment veux-tu que je sois prêt? Cela n'est pas possible.
Tu te fiches de moi; tu vois bien que ce n'est pas possible.
Je ne pourrai pas tenir les délais.
Il me faut encore du temps.
Rien n'est prêt. J'ai encore tout à faire.
Je m'en fiche: ça sera prêt quand ça sera prêt et on verra bien.
À l'impossible nul n'est tenu.
Je n'ai pas eu le temps de m'y mettre (d'y songer).

– Quand on veut se donner encore un peu de temps
Il n'y a tout de même pas d'urgence.
On peut prendre son temps.
On a tout son temps.
On a encore du temps devant soi.
Rien ne nous presse.
Il n'y a pas le feu au lac!
On n'a pas le couteau sous la gorge.

Exercice: Prenez cinq de ces phrases et inventez une petite histoire afin de les insérer dans un contexte concret.

7 Travaux pratiques

Écrivez une biographie

Voici quelques repères chronologiques de la vie de Molière, un des auteurs, comédien et chef de troupe, les plus connus de la littérature française. À partir de ces dates vous allez écrire vous-même la biographie de Molière. Il n'est pas nécessaire d'utiliser toutes les dates et tous les événements, mais votre lecteur doit comprendre l'évolution de la vie de Molière dans le temps.

1622: 15 janvier: Naissance à Paris de Jean-Baptiste Poquelin.

1632: Mort de Marie Cressé, sa mère.

1633: Son père se remarie.

1635: Jean-Baptiste entre au collège de Clermont, tenu par les jésuites, rue Saint-Jacques. Dans cette même année: fondation de l'Académie Française.

1637: Jean-Baptiste devient valet de chambre, tapissier du roi à la suite de son père.

1643: Jean-Baptiste renonce à cette charge et commence à faire du théâtre dans la troupe de la famille Béjart, nouvellement fondée sous le nom de « L'Illustre Théâtre ». Il prend alors le nom de Molière.

1645: La Troupe fait des dettes. Molière en tant que chef de troupe est emprisonné.

1646 à 1658: La Troupe joue en province avec beaucoup de difficultés financières.

1658: La Troupe revient à Paris. Les premières œuvres de Molière: *L'Étourdi* et le *Dépit Amoureux* connaissent un succès aussi grand que les tragédies de Corneille jouées jusqu'alors.

1659: Immense succès des *Précieuses Ridicules.*

1660: Le Roi accorde à Molière la salle de théâtre du Palais-Royal rue Saint-Honoré.

1661: Molière joue *Les Fâcheux* à Vaux-le-Vicomte.

1664: Molière joue à Versailles *Les Plaisirs de l'Île Enchantée. Tartuffe* est interdit.

1666 à 1672: La carrière de Molière est à son apogée. Ses plus grandes pièces: *Le Misanthrope, Le Médecin malgré lui, Le Bourgeois Gentilhomme, etc.* sont jouées à la cour avec en accompagnées la plupart du temps de la musique de Lully.

1672: Le Roi privilégie Lully qui jusqu'à présent avait travaillé avec Molière. Le roi le nomme directeur de l'Académie Royale de Musique (le futur Opéra de Paris) et interdit de faire chanter des vers en musique sans sa permission. Molière proteste, se fâche avec Lully et encourt la disgrâce du Roi.

1673: Première du *Malade Imaginaire* au Palais Royal.

17 février 1673: Molière est très malade le jour de la quatrième représentation du *Malade Imaginaire.* Ses amis lui conseillent d'annuler la représentation de la soirée.

Il persiste à vouloir jouer. Au dernier acte, il s'effondre dans le fauteuil du *Malade*. On doit le transporter chez lui, rue de Richelieu où il meurt quelques heures plus tard.
Sa femme doit intervenir spécialement auprès du Roi pour qu'il soit inhumé en « terre chrétienne »: les comédiens étant considérés comme des personnages de mauvaises mœurs, inquiétaient car ils changeaient de personnalités, si bien qu'ils étaient excommuniés par l'Église. Molière est enterré de nuit à l'église Saint-Eustache.
Dans l'inventaire de son appartement de la rue de Richelieu on retrouve une grande partie de ses costumes de théâtre, et la description des autres, ainsi que de nombreux objets ayant figuré sur la scène de ses différentes pièces.

1680: Fondation par Louis XIV de la Comédie-Française qui prend le nom de Maison de Molière qu'elle a toujours, et qui depuis plus de 300 ans met à l'affiche plusieurs œuvres de Molière à chaque saison.

C'est à Paris que naît en 1622, Jean-Baptiste Poquelin. Sa mère étant morte lorsqu'il avait dix ans, … (à vous de continuer !)

Table des matières

Les collections « Français Langue Étrangère » sont dirigées par Isabelle Gruca.

MÉTHODES

Je lis, j'écris le français
Méthode d'alphabétisation pour adultes
M. Barthe, B. Chovelon, 2004
Livre de l'élève – Cahier d'autonomie

Je parle, je pratique le français
Post-alphabétisation pour adultes
M. Barthe, B. Chovelon, 2005
Livre de l'élève – Cahier d'autonomie

À propos A1
C. Andant, C. Metton, A. Nachon, F. Nugue, 2009
Livre de l'élève (CD inclus) – Guide pédagogique – Cahier d'exercices (CD inclus)

À propos A2
C. Carenzi-Vialaneix, C. Metton, A. Nachon, F. Nugue, 2010
Livre de l'élève (CD inclus) – Guide pédagogique – Cahier d'exercices (CD inclus)

À propos B1
V. Blasco, M.-Th. Kamalanavin, A. Lauginie, A. Nachon, F. Nugue, 2012
Livre de l'élève (CD inclus) – Guide pédagogique (e-book) – Cahier d'exercices (CD inclus)

À propos B1-B2
C. Andant, M.-L. Chalaron, 2005
Livre de l'élève – Livre du professeur – Cahier d'exercices – Coffret 2 CD audio

GRAMMAIRE ET STYLE

Présent, passé, futur
D. Abry, M.-L. Chalaron, J. Van Eibergen
Manuel avec corrigés des exercices, 1987

La grammaire autrement
M.-L. Chalaron, R. Rœsch
Manuel avec corrigés des exercices, 1984

La grammaire des tout premiers temps
(CD MP3 inclus)
M.-L. Chalaron, R. Rœsch, 2011

La grammaire des premiers temps
Volume 1 : niveaux A1-A2, 2000
Volume 2 : niveaux A2-B1, 2003
D. Abry, M.-L. Chalaron
Manuel – CD audio – Corrigés des exercices et transcription des enregistrements du CD

L'Exercisier (avec niveaux du CECR)
C. Descotes-Genon, M.-H. Morsel, C. Richou, 2010
Manuel – Corrigés des exercices

L'expression française écrite et orale
Ch. Abbadie, B. Chovelon, M.-H. Morsel, 2003
Manuel – Corrigés des exercices

Expression et style
M. Barthe, B. Chovelon, 2002
Manuel – Corrigés des exercices

VOCABULAIRE ET EXPRESSION

Livres ouverts
M.-H. Estéoule-Exel, S. Regnat Ravier, 2008
Livre de l'élève – Guide pédagogique

Dites-moi un peu
Méthode pratique de français oral
K. Ulm, A.-M. Hingue, 2005
Manuel – Guide pédagogique

Émotions-Sentiments
C. Cavalla, E. Crozier, 2005
Livre de l'élève (CD inclus) – Corrigés des exercices

Le français par les textes
I : niveaux A2-B1, 2003
II : niveaux B1-B2, 2003
Corrigés des exercices I, 2006
Corrigés des exercices II, 2006
M. Barthe, B. Chovelon, A.-M. Philogone

Lectures d'auteurs
M. Barthe, B. Chovelon, 2005
Manuel – Corrigés des exercices

Le chemin des mots
D. Dumarest, M.-H. Morsel, 2004
Manuel – Corrigés des exercices

CIVILISATION

La France au quotidien (3e éd.)
R. Rœsch, R. Rolle-Harold, 2008
Manuel – Coffret 2 CD audio

Écouter et comprendre la France au quotidien (CD inclus)
R. Rœsch, R. Rolle-Harold, 2009

La France des régions
R. Bourgeois, S. Eurin, 2001

La France des institutions
R. Bourgeois, P. Terrone, 2004

FRANÇAIS SUR OBJECTIF SPÉCIFIQUE

Le français des médecins.
40 vidéos pour communiquer à l'hôpital
(DVD-ROM inclus)
T. Fassier, S. Talavera-Goy, 2008

Le français du monde du travail
(nouvelle édition)
E. Cloose, 2009

Les combines du téléphone fixe et portable
(nouvelle édition, CD inclus)
J. Lamoureux, 2009

Le français pour les sciences
J. Tolas, 2004

ENTRAÎNEMENT AUX EXAMENS

Lire la presse
B. Chovelon, M.-H. Morsel, 2005
Manuel – Corrigés des exercices

Le résumé, le compte rendu, la synthèse.
Guide d'entraînement aux examens et concours
B. Chovelon, M.-H. Morsel, 2003
Manuel avec corrigés des exercices

Cinq sur cinq A2
Évaluation de la compréhension orale au niveau A2 du CECR (CD inclus)
R. Rolle-Harold, C. Spérandio, 2010

Cinq sur cinq B2
Évaluation de la compréhension orale au niveau B2 du CECR (CD inclus)
R. Rœsch, R. Rolle-Harold, 2006

DIDACTIQUE & ORGANISATION DES ÉTUDES

Cours de didactique du français langue étrangère et seconde (2de éd.)
J.-P. Cuq, I. Gruca, 2005

Le français sur objectif universitaire
(DVD-ROM inclus)
J.-M. Mangiante, C. Parpette, 2011

Nouvelle donne pour les Centres universitaires de français langue étrangère
ADCUEFE, 2004

Diplômes universitaires en langue et culture françaises
ADCUEFE, 2004

L'enseignement-apprentissage du français langue étrangère en milieu homoglotte
ADCUEFE, 2006

→ Série Cultures d'enseignement, cultures d'apprentissage coordonnée par Jean-Pierre Cuq

Diversités culturelles et enseignement du français dans le monde. Le projet CECA
E. Carette, F. Carton, M. Vlad (dir.), 2011

Le français langue seconde en milieu scolaire français. Le projet CECA en France
F. Chnane-Davin (dir.), C. Félix et M.-N. Roubaud, 2011

La collection « Outils malins du FLE » est dirigée par Michel Boiron.

Écritures créatives
S. Bara, A.-M. Bonvallet et C. Rodier, 2011

Les TIC, des outils pour la classe
I. Barrière, H. Emile et F. Gella, 2011

Jeux de théâtre
M. Pierré et F. Treffandier, 2012

Documents télévisuels en classe
M. Bidault et M. Foulon (à paraître)

L'Interculturel dans la classe
R.-M. Chaves, L. Favier et S. Pelissier (à paraître)

Animer la classe
M. Boiron et N. Ceulemans (à paraître)